SOMMAIRE

ALEXANDRIE
HIER ET DEMAIN

Jean-Yves Empereur

DÉCOUVERTES GALLIMARD
CULTURE & SOCIÉTÉ

« Les architectes avaient commencé de tracer avec de la craie la ligne d'enceinte quand la craie vint à manquer ; justement, le roi arrivait sur le terrain ; les intendants des travaux mirent alors à la disposition des architectes une partie de la farine destinée à la nourriture des ouvriers, et ce fut avec cette farine que fut tracée une bonne partie des alignements de rues, et le fait fut interprété sur l'heure, paraît-il, comme un très heureux présage. »

Strabon, *Géographie*, XVII, 6

CHAPITRE 1

L'ALEXANDRIE ANTIQUE

Alexandre le Grand, le fondateur, porte sur cette monnaie les cornes d'Ammon, le dieu bélier de l'oasis de Siwa qui l'avait déclaré son fils. La reine Bérénice II est coiffée de la proue d'un bateau, sans doute en signe d'une victoire navale de son époux Ptolémée III. Cette mosaïque de la fin du IIIᵉ siècle avant J.-C. a été longtemps considérée comme une personnification de la ville d'Alexandrie.

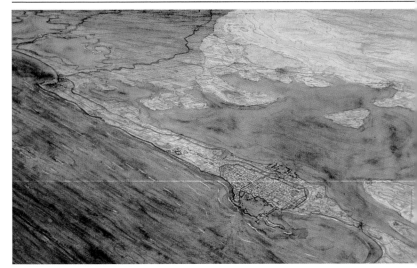

332 avant J.-C. Alexandre a vaincu les Perses et il descend vers l'Égypte d'où il chasse le satrape achéménide Mazakès. Le conquérant macédonien entre à Memphis, la vieille capitale pharaonique. L'Égypte entre dans la sphère hellénique. La réorganisation du pays implique une ouverture sur l'espace méditerranéen.

Le choix du site

On s'est souvent interrogé sur les raisons qui ont poussé Alexandre le Grand à retenir le site de la future Alexandrie. Le Macédonien voulait ouvrir l'Égypte sur le monde grec et fonder une ville portuaire qui ne soit pas sujette aux crues du Nil. Il choisit un endroit sur une bande rocheuse, la plus proche possible du Nil. Le site présentait l'avantage de la présence d'une île, déjà connue des Grecs, puisque Homère y situe une scène de l'Odyssée. Strabon, au Ier siècle avant J.-C., évoque l'existence d'une cité égyptienne antérieure à la fondation d'Alexandrie appelée Rhacôtis. En réalité, Rhacôtis (Raqed en égyptien), littéralement le « chantier », est le nom donné à la ville en construction par les ouvriers égyptiens,

Alexandrie fut construite entre mer et lac, à une trentaine de kilomètres à l'ouest de l'embouchure de la branche canopique du Nil (à gauche). Au fond, l'apex du Delta, avec la ville de Memphis. La formation du cordon littoral, fermant l'ancien golfe, a dessiné les contours du lac Maréotis (aujourd'hui Mariout), véritable mer intérieure s'allongeant sur une centaine de kilomètres d'est en ouest. Relié au Nil par plusieurs canaux desservant les villas viticoles et les cités installées sur ses rives, le lac connaîtra un trafic intense, plus important encore, selon Strabon, que sur la façade maritime d'Alexandrie.

refusant d'appeler la nouvelle ville par le nom
de son fondateur.

La ville d'Alexandre

Dès l'acte de fondation de la ville en 331 avant
J.-C., Alexandre et son architecte Dinocratès
de Rhodes avaient prévu l'aspect général de
l'urbanisme alexandrin, avec son gigantisme qui
a tant impressionné les Anciens. Alexandre avait
voulu dessiner une mégapole, avec des murailles
interminables (elles mesurent plus de 15 kilomètres
de pourtour), des rues d'une largeur inhabituelle
(30 mètres pour les deux rues principales et
15 mètres pour les autres) qui dépassaient tout
ce qu'on avait connu jusqu'alors. Les principes
d'Aristote sur l'urbanisme de la cité idéale étaient
appliqués, avec un réseau viaire orthogonal,
agréablement orienté de façon à profiter de la brise
marine ou formant, au contraire, un abri contre
le vent. Dans ce dispositif prenait place
l'Heptastade, cette chaussée-pont longue de 7 stades
(soit sans doute sept fois 167 mètres selon la mesure
en usage à Alexandrie), qui reliait l'île de Pharos
au continent, formant deux grands ports bien
abrités des vents du nord, sur cette côte basse
et dangereuse.

De nombreux portraits
d'Alexandre, comme
cette tête en granite
du Ier siècle avant J.-C.,
furent retrouvés à
Alexandrie,
témoignages des
statues du héros
fondateur qui ornaient
places publiques,
sanctuaires et
demeures privées.

De la muraille antique
d'Alexandrie ne
subsiste qu'un tronçon,
dans les jardins
de Shallalat, du côté
de la porte est de la ville.
On ne sait s'il date de
l'époque hellénistique
ou romaine.

Les Alexandrins buvaient l'eau du Nil. Ne pouvant compter sur les précipitations inégales d'une année sur l'autre, la ville fut reliée par un canal à la branche canopique du Nil. Vers la fin de l'été, la crue du fleuve exhaussait le niveau du canal et l'on remplissait les nombreuses citernes (ci-dessus, celle de el-Nabi). Du bon entretien de ce système dépendaient la salubrité et la prospérité de la cité.

C'est Ptolémée Ier (ci-dessous, le roi et son épouse, Bérénice Ire) qui décida de déplacer la capitale de l'Égypte de Memphis à Alexandrie : il y engagea les grands travaux urbains, parant la ville du Phare, de la Grande Bibliothèque, du Musée et du tombeau d'Alexandre le Grand. Cette politique de prestige fut continuée par son fils Ptolémée II.

Les aménagements

On était à moins d'une trentaine de kilomètres de l'embouchure de la branche canopique du Nil, celle que les Grecs connaissaient le mieux, puisqu'ils avaient installé dès le VIIe siècle avant J.-C., grâce au pharaon Amasis, un comptoir à 70 kilomètres à l'intérieur du Delta, Naucratis. On pouvait également atteindre le Nil depuis des canaux qui partaient du Maréotis, le lac qui bordait le côté méridional de la future ville. Bientôt, on creusa un canal entre la branche canopique et la ville, assurant son approvisionnement en eau douce.

Celle-ci remplissait les citernes que l'on aménagea, de plus en plus nombreuses dans le sous-sol de la cité. Elles étaient remplies une fois l'an, lors de la crue du fleuve, qui atteignait Alexandrie en août-septembre : les voyageurs des siècles passés décrivent cette fête du *khalig* (« canal ») qui, comme au Caire, présidait à l'ouverture des canaux secondaires ; orientés sud-nord, ils étaient alors mis en eau pour alimenter les citernes. L'eau était ainsi stockée pendant toute l'année et on la puisait, au gré des besoins, au moyen de *saqieh*, des roues à godets mues par des bêtes de somme.

Une nouvelle capitale

Alexandre meurt à Babylone en 323, sans jamais avoir vu la cité dont il avait jeté les fondations huit ans plus tôt. Ses généraux s'entre-déchirent pour sa succession et bientôt se partagent des lambeaux de l'empire. C'est à Ptolémée que revient l'Égypte en 319, avant qu'il ne s'en proclame roi en 305. Ce vieux capitaine de guerre, ami d'enfance d'Alexandre, se révèle un administrateur hors pair. La dynastie qu'il fonde va présider à la destinée de l'Égypte jusqu'en 30 avant J.-C., date de la mort de Cléopâtre et de l'annexion du pays à l'Empire romain.

À l'origine, Ptolémée hésita sur le choix de sa capitale et, pendant plusieurs années, il semble bien que Memphis, ville du couronnement et capitale pharaonique, ait joué ce rôle. Mais il choisit de fixer définitivement le siège du pouvoir royal dans la nouvelle fondation de la côte nord. Alexandrie restera capitale pendant un millénaire, jusqu'à la conquête arabe de 640. Le nouveau souverain, qui prend le surnom de Sôter, le « Sauveur », va s'employer à l'enrichir de monuments dignes du projet d'Alexandre.

Sur la stèle du Satrape (311 avant J.-C.), Ptolémée Ier, encore satrape de l'Égypte (il prendra le titre de roi en 305), expose sa politique religieuse au clergé égyptien. On y trouve pour la première fois le nom d'Alexandrie en égyptien « Mur du Roi de Haute et Basse Égypte, du fils de Ré, Alexandre ». Cette tentative de traduction officielle fit long feu : les Égyptiens refusèrent d'appeler la ville par le nom de son fondateur et la désignaient par le simple mot de « chantier », *raqed* en égyptien.

Le tombeau d'Alexandre le Grand

Pour affirmer le statut de la cité nouvelle,
Ptolémée I er y installe le tombeau d'Alexandre,
à proximité du quartier royal. Il avait arraché
de haute lutte la dépouille du conquérant, alors
que celle-ci était convoyée depuis Babylone vers la
Macédoine, et il la conserva comme une relique qui
allait apporter la prospérité à la ville. Le tombeau
allait devenir l'un des monuments les plus célèbres
de l'Antiquité, comme en témoignent les sources
antiques. Ainsi, Octave (le futur Auguste) orne
la momie d'une couronne d'or et, au passage, il en
brise le nez… Les visites d'empereurs romains sont
recensées jusqu'à Caracalla, au début du III e siècle
après J.-C. Puis, c'est le silence.

Il est vraisemblable que, tout comme la
Bibliothèque, le Sôma (littéralement « le corps »)
ait été victime de la violence des guerres qui ont
affecté Alexandrie durant la seconde moitié
du III e siècle après J.-C. À la fin du siècle suivant,
saint Jean Chrysostome demandait aux païens
d'Alexandrie : « Où se trouve donc le tombeau
d'Alexandre ? » Même le souvenir de son
emplacement avait disparu des mémoires.

Dans les cimetières
latins, un monument en
albâtre fut mis au jour
en 1907 puis restauré
en 1936 par Achille
Adriani, le dernier
directeur italien
du Musée gréco-romain,
qui le data de la fin
du IV e siècle avant J.-C.
et l'identifia comme
l'antichambre du
tombeau d'Alexandre.
Des fouilles sont en
cours sur le site, dans
l'espoir de retrouver
d'autres restes
de la nécropole royale,
voire du tombeau
d'Alexandre lui-même.

Dans sa description d'Alexandrie en 25 avant J.-C., Strabon indique que le Sôma était inclus dans l'enceinte des palais royaux. Ce renseignement a donné naissance à une hypothèse de localisation que corroborerait un passage du roman *Leucippè et Clitophon* d'Achille Tatius (IIᵉ siècle après J.-C.). La nécropole royale se situait à l'angle des deux rues principales de la cité, la rue R1 qui descend des palais vers le port royal sur le lac Maréotis, et la rue L1, la Voie canopique.

Mais le tombeau était-il en fait au cœur ou en bordure du quartier des palais royaux? Les archéologues retrouveront peut-être un jour le tombeau d'Alexandre. Mais son probable état de délabrement permettra-t-il seulement de le reconnaître?

Après sa victoire sur Cléopâtre et Marc Antoine à la bataille navale d'Actium en 31 avant J.-C., Octave, le futur Auguste, s'empara d'Alexandrie. Il rendit visite au tombeau d'Alexandre, et fit sortir la dépouille du héros de la cuve de son sarcophage pour la ceindre d'une couronne.

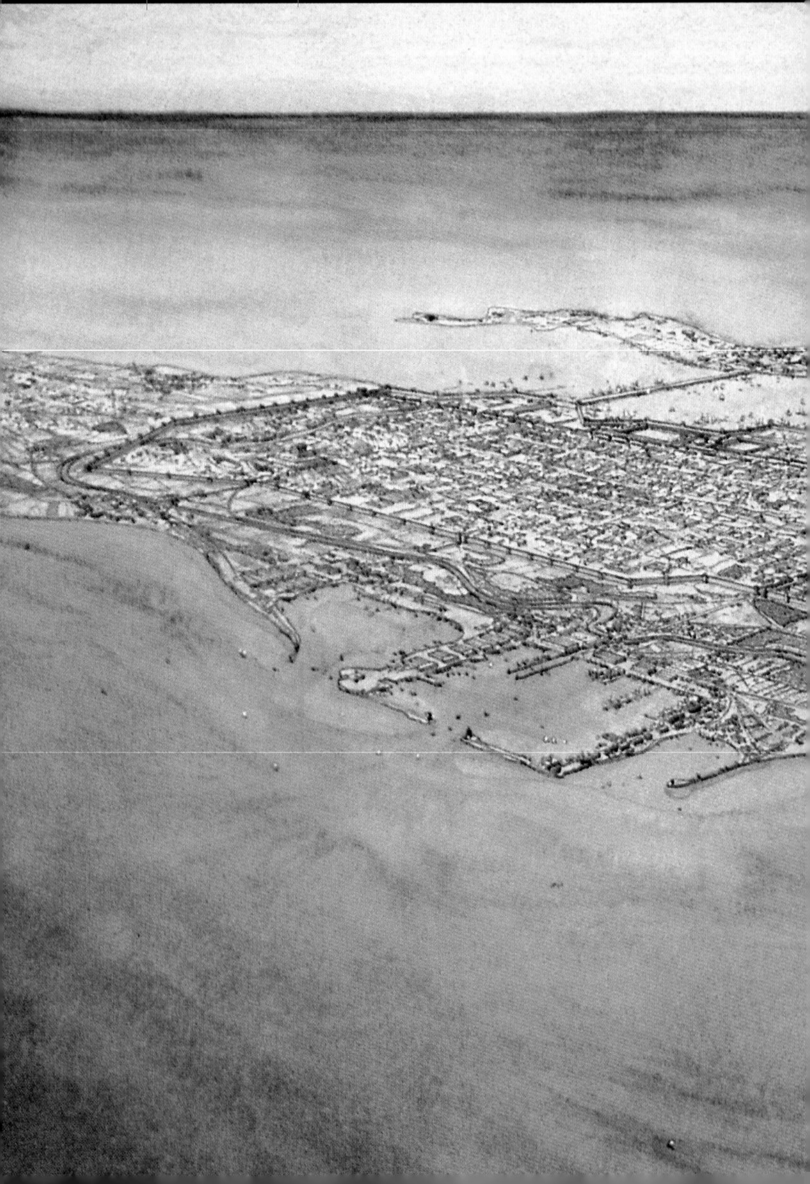

Alexandrie s'étend
entre la façade
maritime au nord et
le lac Maréotis au sud.
On reconnaît l'îlot de
Pharos à l'est duquel
s'élève le Phare.
Une chaussée-pont,
l'Heptastade, relie l'île
au continent et forme
deux ports : à l'ouest,
l'*Eunostos*, ou « port
du bon retour »; à l'est,
le *Megas Limen*, ou
« grand port ». Sur le
côté sud, les ports
lacustres. La muraille,
longue d'une quinzaine
de kilomètres, sépare
la ville des vivants
des nécropoles.

Au sud, un canal venu
du Nil longe le mur
d'enceinte. Il permet
la navigation et fournit
l'eau potable.
On distingue enfin
les deux rues
principales qui se
coupent à angle droit.

Une ville-palais

Alexandrie était immense, avec une étendue de 5 kilomètres intra-muros d'est en ouest et de 2 à 3 kilomètres (suivant les lignes de la côte maritime comme de la rive lacustre) du nord au sud. La ville était divisée en quartiers administratifs : les textes donnent les numéros de plusieurs de ces arrondissements (il y en aurait eu au moins cinq), mais sans que l'on sache les localiser avec précision. C'est d'ailleurs le cas de nombre de monuments dont nous possédons des descriptions, notamment par Strabon, mais qu'on ne peut pas identifier au sol, ni même replacer dans la topographie de la ville antique : ils restent comme en lévitation au-dessus d'une carte sur laquelle on ne peut les poser.

Cette division en quartiers exprime bien la double nature de la ville, centre politique et résidence royale. Les palais occupent ainsi un quartier entier. Ptolémée y installe l'administration centrale, là où lui-même loge désormais tout comme ses successeurs. Ceux-ci ajouteront chacun un nouveau palais à cet ensemble architectural, qui devait représenter une véritable cité interdite à l'intérieur de la ville, si l'on en croit Strabon.

En effet, le géographe, qui séjourne quelque temps à Alexandrie, la décrit ainsi : « La ville renferme des parcs splendides et les bâtiments royaux, qui

La Voie canopique (appellation moderne) allait de la porte du Soleil à l'est à la porte de la Lune, 5 kilomètres plus à l'ouest. Selon Strabon, elle mesurait 30 mètres de large. Selon Achille Tatius, elle était bordée de portiques. Mais on ne sait à quand remonte cette architecture ; peut-être Alexandrie est-elle à l'origine de ces voies à portiques que l'on trouve dans les villes romaines de la Méditerranée orientale.

Les maisons des premières générations d'Alexandrins : ci-dessus, une salle à manger, décorée d'une mosaïque de galets, tout comme dans les demeures de Macédoine, la région natale d'Alexandre. Ci-contre, une maison à deux niveaux, avec une loggia à moitié fermée par des rideaux.

occupent le quart, voire le tiers de la superficie totale, car chacun des rois, jaloux d'embellir à son tour les édifices publics de quelque nouvel ornement, ne l'était pas moins d'ajouter, à ses propres frais, une résidence à celles déjà existantes […]. Tous ces édifices forment une construction continue, eux-mêmes et le port et même ceux qui s'étendent au-delà du port. Le Mouseion fait lui aussi partie des bâtiments royaux. »

Ptolémée Iᵉʳ est à l'origine de la plupart de ces monuments qui parent rapidement la nouvelle ville, le Phare, la Bibliothèque et le Musée attenant, le Tombeau d'Alexandre ainsi que les principaux sanctuaires.

Suivant les lieux où leurs statues étaient exposées, les Ptolémées se faisaient représenter tantôt sous la forme de rois hellénistiques, tantôt avec les attributs des pharaons, tel ce Ptolémée IV. Ils se faisaient reconnaître solennellement comme Pharaon dans la vieille capitale de Memphis.

Cette statue du taureau Apis, de grandeur nature, en basalte noir, fut découverte intacte il y a un siècle, lors des fouilles au Sarapeion. Une inscription gravée en grec indique qu'elle fut consacrée par l'empereur égyptophile Hadrien au cours de l'une de ses visites à Alexandrie, vers 120 après J.-C.

Le séjour des dieux

Pour établir durablement leur domination sur l'Égypte, les souverains lagides (du nom de Lagos, « lièvre », le père de Ptolémée II) devaient s'affirmer à la fois en tant qu'héritiers d'Alexandre aux yeux des Grecs, et comme continuateurs des anciens pharaons aux yeux des Égyptiens, et tout particulièrement du clergé.

Outre l'édification à Alexandrie de temples dédiés aux divinités égyptiennes – les sources écrites nous apprennent qu'une dizaine de temples avaient été consacrés à Isis –, Ptolémée Iᵉʳ entreprend l'organisation des cultes. On peut lui attribuer avec certitude la création d'une nouvelle divinité, Sarapis. Reprenant un vieux rite memphite en l'honneur d'Apis, qui apparaît aux hommes sous la forme d'un taureau, Ptolémée Iᵉʳ l'adapte pour les Grecs, peu enclins à vénérer une divinité sous un

aspect zoomorphe – déjà Hérodote avait exprimé son incompréhension devant cet aspect de la religion pharaonique –, en lui donnant une apparence anthropomorphe, celui d'un Zeus barbu, identifiable à ses mèches enroulées sur le front. Sarapis rassemble les pouvoirs du roi de l'Olympe, d'Asclépios, le dieu guérisseur, et de Hadès, le dieu des enfers.

Il forma une nouvelle triade avec Isis, la sœur-épouse d'Osiris, et Harpocrate (« Horus l'enfant »), leur fils. Leur culte de dieux guérisseurs connut un éclatant succès, s'étendant rapidement au-delà des murs d'Alexandrie, avec une constance étonnante : on ouvrit des *sarapeia*, ou sanctuaires de Sarapis sur tous les pourtours de la Méditerranée et, au Ier siècle après J.-C., la divinité fut rangée au nombre des dieux du Capitole !

Le sanctuaire de Sarapis était le plus en vue, s'élevant sur l'une des seules hauteurs de la ville, que, malgré sa modestie, on appelait pompeusement l'Acropole. On y accédait par une volée de cent marches et là on découvrait la bibliothèque-fille (ainsi désignée car elle renfermait les copies des ouvrages originaux conservés dans la Grande Bibliothèque), un nilomètre, des souterrains qui servaient au culte du dieu-taureau et un temple qui fut agrandi sous Ptolémée II, Ptolémée IV et Hadrien. Un auteur de la fin du IVe siècle après J.-C., Rufin,

Sarapis, la grande divinité de l'Égypte grecque, apparaît pour les sujets grecs sous une forme anthropomorphe, à l'image de cette statue monumentale en bois de sycomore. Outre sa coiffure caractéristique à cinq mèches, le dieu portait à l'origine le *calathos* ou *modius*, dont la forme viendrait d'une mesure à grains.

Dans les catacombes de Kôm el-Chougafa, la chapelle principale est décorée de reliefs de la fin du Iᵉʳ siècle après J.-C. Trois divinités égyptiennes président à la momification d'Osiris : Anubis, Thot et Horus. Au premier plan, le sarcophage est décoré à la grecque, avec deux têtes de satyres, compagnons de Dionysos.

Autre exemple du syncrétisme alexandrin, cette lampe à huile en forme de temple égyptien (IIᵉ siècle avant J.-C.), avec un fronton orné d'un disque solaire, une architrave décorée d'*uraei*, des cobras dressés, et quatre chapiteaux à tête d'Hathor. Mais à l'intérieur, on devine la statue d'Aphrodite sortant du bain.

nous donne une description relativement détaillée du rituel, lorsque l'on sortait la statue de Sarapis pour le « baiser au Soleil » ; en d'autres termes, on la rechargeait en énergie divine, avec tout un stratagème subtil, utilisant les pouvoirs d'aimants, dont l'emploi est attesté dans d'autres sanctuaires d'Alexandrie. Ce prodige forçait l'admiration des croyants et contribua au succès de Sarapis.

Une autre divinité connut un succès populaire à Alexandrie : Agathos Daimon, ou le bon génie, représenté sous la forme d'un serpent. Associé à une divinité pharaonique qui revêtait l'aspect d'un reptile, il était vénéré comme apportant la prospérité,

en souvenir des serpents qui s'étaient échappés des fondations de la nouvelle cité : là encore les devins y avaient vu un bon augure et l'on fêtait Agathos Daimon à la date anniversaire de la cité.

Dieux grecs et dieux égyptiens faisaient bon ménage à Alexandrie d'autant que, suivant la voie dressée par Hérodote, les Grecs établissaient des équivalences entre les deux séries de divinités : Hermès était apparié à Thot, Aphrodite à Hathor… À vrai dire, au fur et à mesure que se prolongeait leur séjour dans le pays, les Grecs adoptèrent peu à peu bien des aspects de la religion égyptienne. Les morts nous en livrent un témoignage qui devient clair, à la lumière des récentes fouilles de sauvetage de la Nécropolis : alors qu'aux IVe et IIIe siècles avant J.-C. les Alexandrins respectaient les coutumes funèbres helléniques, avec l'inhumation et la crémation, vers la fin de l'époque ptolémaïque, une partie de la population adopta l'usage égyptien de la momification. C'était une révolution dans les mentalités, puisqu'au lieu de croire à l'enfer grec, pâle réplique du monde des vivants où les défunts se morfondaient en regrettant la vie d'antan, on conservait son corps avec un soin obsessionnel en vue de la résurrection osirienne. Ainsi se créa un syncrétisme alexandrin, mélange de pratiques religieuses grecques et égyptiennes, dont subsistent de nombreux témoignages : on peut en voir l'un des plus remarquables dans les catacombes de Kôm el-Chougafa avec ses scènes sculptées en relief, momification du défunt par Anubis, sarcophage avec les signes de Dionysos, Agathos Daimon coiffé du *pschent*, la double couronne pharaonique…

À gauche, l'ibis de Thot enserre le caducée d'Hermès : la plaque de marbre (IIe siècle avant J.-C.) est dédiée à Isis, Sarapis et Hermès, qui prend la place de Thot. Agathos Daimon (ci-dessous) rappelait combien les reptiles étaient liés à la prospérité de la cité dès les premiers moments de sa fondation.

Sous un dais, dans un paysage nilotique, sans doute sur les rives du lac Maréotis, se déroule un banquet. Devant les trois personnages attablés, à demi couchés, une danseuse anime le repas (mosaïque romaine du IIᵉ siècle après J.-C.).

Ces statuettes de terre cuite – ou *tanagras* – furent découvertes dans des sépultures, ce qui a permis leur conservation exceptionnelle, avec une grande fraîcheur de couleurs.

La population alexandrine

Le syncrétisme religieux répond à la diversité
des populations : Égyptiens, Grecs, Juifs, Phéniciens,
Nabatéens, Arabes, Indiens, toutes les races
de la terre se côtoyaient dans les rues d'Alexandrie.
Mais il ne faut pas en conclure qu'il s'agit d'une cité
cosmopolite où les communautés auraient joui
des mêmes privilèges. La population d'Alexandrie
était en fait fortement hiérarchisée.

Comment devenait-on alexandrin ?
Les conditions étaient sévères, comme
dans toute cité grecque : il fallait être
de père et de mère citoyens d'Alexandrie.
À l'adolescence, un examen des titres
à devenir citoyen avait lieu et les listes étaient
affichées au tribunal, dans l'enceinte du grand
gymnase. Ces listes conditionnaient l'inscription
dans une tribu et l'admission à l'éducation grecque,
dans l'un des gymnases de la ville, à l'enrôlement
dans l'armée, etc.

À côté de ce premier cercle, le plus fermé,
un deuxième cercle comprenait les « Hellènes » :
c'était les Grecs venus d'autres cités, de cités

grecques du vieux continent, des îles ou d'Asie Mineure, qui n'étaient pas citoyens d'Alexandrie. C'est là aussi qu'étaient placés les Juifs, importante minorité dans la ville depuis Ptolémée Ier qui les avait enrôlés dans ses armées. Ces Juifs hellénisés et hellénophones avaient bien souvent perdu l'usage de l'hébreu et de l'araméen et l'on comprend la nécessité qu'il y eut de traduire en grec à leur usage les livres sacrés. Dans ce cercle, on comptait aussi les Thraces, les Cariens…

Le troisième cercle, le plus large, comprenait les Égyptiens. Ceux-ci devaient être nombreux, parfois trop nombreux

❝GORGO. – Praxinoa […], prends ta robe et ton manteau. Allons au palais royal, chez l'opulent Ptolémée; nous verrons Adonis. J'ai entendu dire que la reine arrangeait quelque chose de superbe. […] Praxinoa, cette robe à plis te va tout à fait bien. Dis-moi, à combien te revient le tissu? **PRAXINOA. –** Ne m'en parle pas, Gorgo! À plus de deux mines d'argent. Et la façon! je m'y suis tuée. […] *(À son esclave, Eunoa)* Apporte-moi mon manteau et mon chapeau. Drape-le comme il faut. […] Partons.❞

Théocrite,
Les Syracusaines
(vers 270 av. J.-C.)

aux yeux des Grecs, et les textes nous ont laissé
la mention d'expulsions massives d'Égyptiens
hors de la ville, dans le dessein de les forcer
à retourner cultiver les terres du Delta.

Mais les Grecs avaient néanmoins besoin
de ces Égyptiens, sur le chantier de la ville
tout comme dans l'administration, rouages
indispensables pour que les ordres des
souverains grecs soient transmis à la
population autochtone. Ces administrateurs,
ces traducteurs, sans oublier les représentants
du clergé égyptien, force homogène qu'il fallait

Des Nubiens étaient
amenés à Alexandrie,
souvent pour servir
d'esclaves. Ci-dessus,
une tête de jeune Noir
en bronze.

L'éducation des jeunes
Alexandrins était
soignée, avec
l'apprentissage des
auteurs grecs, comme
Homère ou les
tragiques. Cette scène
d'éducation à la
grecque dans un
gymnase d'Alexandrie
montre le maître
d'école corrigeant
un élève devant
un portique aux
chapiteaux corinthiens.
Un autre enfant se
nettoie à l'aide d'un
strigile tandis qu'un
troisième, à droite,
s'exerce à la course,
une torche à la main
(lampe en terre cuite
du IIᵉ siècle avant J.-C.).

ménager, en entretenant un équilibre subtil entre
l'imposition fiscale et le respect des privilèges
séculaires des sanctuaires, composèrent avec
le pouvoir des Ptolémées et certains acquièrent
des positions enviables à la cour, s'hellénisant,
tout au moins en apparence.

Auprès des auteurs anciens, la population d'Alexandrie a la réputation d'être frondeuse, moqueuse, turbulente. En effet, la proximité des palais la pousse parfois à intervenir dans les affaires de l'État. Achille Tatius traduit bien cette impression que devait faire cette masse grouillante de population. Lorsque Clitophon, le héros de son roman, débarque à Alexandrie pour la première fois, il ne cesse de s'extasier devant cette ville : « Si je considérais la ville, je pensais que jamais il n'y aurait assez d'habitants pour la remplir tout entière, mais lorsque je regardais les habitants, je me demandais avec stupeur s'il y aurait une ville capable de les contenir. »

Les hommes en leur dernier séjour

Dans les faubourgs de la ville, au-delà des murailles, s'étendent les vastes cimetières. À l'ouest, la Nécropolis, terme forgé par Strabon pour exprimer son étonnement devant l'immensité de cette véritable cité des morts, a la taille de la cité des vivants. La diversité des sépultures reflète les différences sociales : ici, des squelettes en pleine terre ; là des hypogées, qui forment de vrais dédales souterrains, avec des centaines de niches à la taille d'un corps, creusées dans la roche tendre du sous-sol alexandrin. Ici, un lit funéraire peint avec un riche décor de fleurs et de motifs géométriques ; là, un plafond orné de frises d'amours jouant avec des dauphins

Le propriétaire d'un des hypogées de Kôm el-Chougafa est représenté de plain-pied dans un naos creusé dans la roche. Il est debout à la manière égyptienne, les bras le long du corps, vêtu d'un simple pagne, mais le visage est individualisé, avec des pommettes saillantes et une chevelure aux mèches frisées : c'est un riche Alexandrin de la fin du Ier siècle après J.-C.

ou des parois montrant une scène champêtre :
un enfant encourage ses bœufs à tourner autour
du pivot d'une *saqieh* qui remonte l'eau du fleuve.
La tradition grecque est respectée, avec l'obole
placée sur la langue du défunt inhumé ou le recours
à la crémation. Mais, au fil des siècles, les Grecs
empruntent croyances et coutumes aux Égyptiens.
Les nombreuses momies découvertes lors des
récentes fouilles attestent clairement cette
évolution.

Le visage des morts surgit sous forme de portraits
de plâtre (le climat humide ne permet pas la
conservation des peintures à l'encaustique sur bois,
les « portraits du Fayoum », qui devaient aussi être
produits dans la capitale), de terres cuites

Les cimetières se développent extra-muros. À l'ouest, l'immense Nécropolis, où les premiers hypogées familiaux ont bien vite été transformés en tombes collectives afin de loger les morts innombrables de la cité. Cette tombe (à gauche), qui comprend 250 niches réparties sur deux niveaux, témoigne de cette activité inlassable. Les nécropoles alexandrines, les plus impressionnantes du monde grec, s'étendent de façon continue sur plusieurs km[2].

Certaines tombes, au décor remarquablement conservé, montrent un mélange de styles grec et égyptien, comme celles d'Anfouchi (ci-contre), aménagées à la pointe ouest de l'îlot de Pharos au cours du IIe siècle avant J.-C.

Né de père grec et de mère égyptienne, Dioscouridès est arrivé aux plus hautes charges sous Ptolémée VI. Ne cherchant pas à mettre en valeur son ascendance hellène, il a plutôt cultivé ses racines égyptiennes, et s'est fait momifier et inhumer dans la nécropole de Memphis, dans un sarcophage anthropoïde de basalte noir, couvert d'inscriptions hiéroglyphiques qui retracent les hauts faits de sa carrière.

représentant d'élégantes Alexandrines du IIIe siècle avant J.-C.; on ressent l'affection de leurs familles, avec les multiples offrandes, lampes à huile pour affronter les mondes obscurs, autels à encens et autres colifichets. On retrouve les mêmes objets que dans les maisons des vivants, les mêmes décors peints, les mêmes meubles, tels les lits, les mêmes pièces parfois, telles ces salles à manger où les vivants se réunissaient pour partager des repas en communion avec le défunt. Le monde des morts est le miroir de la ville des vivants : mieux conservé parce que souterrain, il nous donne une idée du cadre de vie des Alexandrins au cours du millénaire grec et romain.

L'industrie et le commerce des Alexandrins

La prospérité d'Alexandrie repose sur l'exploitation d'un arrière-pays riche, le long des rives du lac Maréotis, où blé, vigne et oliviers poussaient en abondance, suffisant aux besoins immédiats de la capitale. Une partie de la production était même exportée, comme le prouvent les amphores de vin retrouvées parfois au loin, jusque dans le golfe de Fos, près de Marseille. Ce succès se retrouve dans les vers d'Horace ou de Virgile, qui chantent les louanges du cru du Maréotis qu'ils buvaient volontiers lors de leurs banquets à Rome.

À côté de ce trafic local qui transitait par le lac, Alexandrie rassemblait les produits de tout le pays. Les Ptolémées exploitaient au mieux de leurs intérêts l'ensemble des terres égyptiennes, terres royales et aussi terres privées soumises à des impôts nombreux, sans compter les monopoles royaux, comme l'huile par exemple. Le pays était mis sous coupe réglée au profit du Prince et toutes ces marchandises – le blé en premier lieu – aboutissaient dans les entrepôts d'Alexandrie pour être vendues dans le reste de la Méditerranée. Le dessein d'Alexandre

Ptolémée II avait envoyé une ambassade pacifique à la cité de Nympheion, en Crimée, avec des bâtiments militaires de gros tonnage comme cette *Isis* dont l'équipage a gravé ce graffiti sur les parois d'un sanctuaire d'Apollon et Aphrodite, protecteurs des marins (vers 275-250 avant J.-C.). À l'arrière du navire, quatre boucliers macédoniens sont représentés, ainsi qu'un soldat coiffé d'un pétase, brandissant une lance. La scène est surmontée d'un aigle lagide retenant dans ses serres le trident de Poséidon.

Des satyres et des amours cueillent des grappes de raisins, apportent les paniers au fouloir, foulent le raisin au milieu des pampres de vignes sous lesquels le dieu Dionysos écoute des musiciens. Des scènes semblables se déroulaient dans les villas viticoles qui bordaient le lac Maréotis (gobelet en argent niellé d'or du Ier siècle après J.-C.).

d'ouvrir le pays sur la mer grecque avait trouvé son application.

À un troisième niveau, les Alexandrins allaient chercher les produits les plus lointains. Ils envoyaient des flottes entières (plus de cent vingt bateaux précise Strabon) depuis les ports de la mer Rouge jusqu'en Inde, profitant de la mousson dans les deux sens pour un voyage qui n'excédait pas quelques mois. Ils en rapportaient des produits exotiques, tels les épices, les pierres précieuses, les soieries, l'ivoire… Un papyrus du IIIᵉ siècle avant J.-C. donne le détail de la cargaison d'un bateau à son retour du port de Mouziris, sur la côte ouest de l'Inde : l'*Hermapollon* contenait soixante caisses de nard (plante aromatique), cinq tonnes d'autres épices, plus d'une centaine de défenses d'éléphants, cent trente-cinq tonnes de bois d'ébène.

Ces marchandises étaient destinées à la consommation de la capitale, mais surtout aux marchés de Méditerranée. Selon l'expression de Strabon, Alexandrie était le véritable *emporium* du monde. On y trouvait les marchandises de la terre entière, notamment les produits de luxe à la forte valeur ajoutée. Les productions de l'artisanat local ajoutaient encore à la richesse du marché.

Nombre d'épaves de bateaux ont coulé, victimes des bancs rocheux qui encombrent l'entrée du port d'Alexandrie. Ces cargaisons d'amphores, de vases de toutes sortes, en argile voire en bronze, de fruits transportés dans des sacs, permettent de reconstituer le commerce entre Alexandrie et le reste de la Méditerranée sur mille ans, du IVᵉ siècle avant J.-C. jusqu'au VIIᵉ siècle après J.-C. Ci-dessus, l'inventaire douanier de la cargaison de l'*Hermapollon*, un bateau revenant des Indes, au IIIᵉ siècle avant J.-C.

Le Phare, symbole de la puissance économique d'Alexandrie

Le Phare d'Alexandrie fut conçu dès la fondation de la ville ou peu après. Ce fut tout d'abord un bâtiment utilitaire, amer nécessaire sur cette côte basse, dépourvue de repère pour les marins qui s'en approchaient, traversant des bancs de rochers qui affleuraient à peine à la surface, mais c'est aussi un ouvrage de propagande royale, imposant de ses 135 mètres de hauteur la force et la puissance

Sur les monnaies, le Phare est représenté avec deux, parfois trois étages percés de fenêtres. En revanche, les tritons de la terrasse du premier étage et la statue au sommet sont toujours figurés.

Le Phare d'Alexandrie, avec ses trois étages successifs (rectangulaire, octogonal et cylindrique) auxquels on accédait par une longue rampe, est reconstitué ci-contre à partir des recherches les plus récentes. Construite entre 297 et 283 avant J.-C., la tour était surmontée d'une statue de Zeus. Classée immédiatement parmi les sept Merveilles du monde, elle allait rester debout pendant dix-sept siècles, malgré les tremblements de terre, pour s'effondrer définitivement durant la première moitié du XIVe siècle.

du nouveau pouvoir grec sur l'Égypte. Construit par Ptolémée Iᵉʳ à partir de 297 avant J.-C., il fut inauguré quatorze ans plus tard, peu après la mort du vieux roi, par son fils Ptolémée II.

Les auteurs antiques sont avares de renseignements sur le Phare, et le texte de Strabon est trop vague au goût des historiens : il précise toutefois que le Phare était construit en pierre blanche, sans doute de calcaire local. Plusieurs auteurs nous indiquent qu'un foyer avait été installé au sommet de la tour, mais, comme on a pu le dire, plus nous nous rapprochons du feu et de sa lumière, plus les modernes se trouvent dans l'obscurité d'hypothèses contradictoires et d'apories. Comment le feu était-il alimenté en ce pays pauvre en bois ? Peut-être avait-on recours au naphte, ce pétrole que l'on trouve de façon naturelle à la surface des étangs et dont Hérodote décrit l'emploi, dès le Vᵉ siècle avant J.-C., pour le chauffage et l'éclairage. Mais si l'on imagine bien les colonnes de bêtes de somme monter ce combustible dans les étages, comment et à quel endroit placer ce foyer ? sous une coupole ou une toiture supportant la statue sommitale ? Dans ce cas, comment concilier sa chaleur avec le voisinage de la pierre qu'il aurait fait éclater ? Comment la flamme résistait-elle aux vents parfois violents qui affectent Alexandrie, voire aux pluies hivernales ? Autant de questions qui ne sont pas résolues et seule la découverte de nouveaux documents – textes ou restes archéologiques – permettrait de sortir de cette impossibilité actuelle de donner une image précise du Phare.

Ce gobelet en verre du Iᵉʳ siècle après J.-C. est sans doute le souvenir qu'un Grec d'Afghanistan a rapporté de sa visite à Alexandrie. On y distingue la statue qui coiffe la tour. Autrefois visible au musée de Kaboul, on n'a plus de trace de ce document unique, peut-être détruit au cours des années de guerre civile ou plus récemment par les taliban.

Tous les savoirs du monde : la Bibliotheca alexandrina

Dans un souci de comprendre la civilisation
égyptienne et celle des peuples voisins pour mieux
gouverner et exploiter leur royaume, les Ptolémées
ont collectionné les documents écrits dans toutes
les langues et rassemblé les plus grands savants
du monde connu. Leur ambition politique a fait
d'Alexandrie la capitale de la science et de la culture.

S'appuyant au départ sur les conseils de
l'Athénien Démétrios de Phalère, Ptolémée Ier a
conçu un centre qui rassemblerait tous les savoirs

Il n'existe aucune
représentation antique
de la Bibliothèque
et du Musée. Mais
le thème inspira
des peintres d'histoire,
tel Jean Baptiste de
Champaigne qui, dans
ce tableau présenté au
Salon de 1673, a campé
un entretien entre
Ptolémée II et les
savants dans la Grande
Bibliothèque
nouvellement fondée.

du monde, projet qui fut continué et agrandi par
son fils Ptolémée II et leurs successeurs, jusqu'à
la célèbre Cléopâtre VII. Pour l'enrichissement
de la Bibliothèque, Ptolémée III alla même jusqu'à
obliger les voyageurs arrivant en Égypte à déclarer
les manuscrits qu'ils auraient en leur possession ;
on recopiait ceux que la Bibliothèque ne possédait
pas avant de les rendre à leurs propriétaires, mais
l'histoire dit aussi qu'on leur remettait souvent
la copie au lieu de l'original...

Désireux d'obtenir une version princeps des
classiques grecs – les auteurs tragiques Eschyle,
Sophocle et Euripide –, Ptolémée III demanda aux
Athéniens de lui prêter les manuscrits qui étaient
pieusement conservés dans une des bibliothèques

Les Juifs affluèrent à
Alexandrie dès le règne
de Ptolémée Ier.
Hellénisés, ils ne
comprenaient plus que
le grec, et Ptolémée II
chargea 70 rabbins de
traduire les cinq livres
du Pentateuque qui
constituent la Torah :
il les enferma sur
l'île de Pharos dans
70 cellules (ci-contre,
à droite), et ils
ressortirent avec
70 traductions en tous
points identiques.
Cette tradition rappelle
le souci du roi
de collectionner
les traductions pour
la bibliothèque
d'Alexandrie.
La Septante, qui
constitue la première
version grecque
de la Bible hébraïque,
fut en réalité terminée
dans les années
130 avant J.-C.

d'Athènes. Se méfiant de la passion du collectionneur, les Athéniens lui réclamèrent une caution de 15 talents d'argent, somme énorme pour l'époque. Sitôt les manuscrits à Alexandrie, Ptolémée remercia les Athéniens, leur annonçant qu'ils pouvaient garder la caution et qu'il conserverait les manuscrits…

On rassemblait des rouleaux de papyrus dans toutes les langues : le grec, l'hébreu et l'araméen, le nabatéen, l'arabe, l'indien et, bien sûr, l'égyptien, à l'image des peuples qui fréquentaient la capitale. On procéda, dès les premiers Ptolémées, à des traductions vers le grec, les plus célèbres étant celle des textes sacrés des Juifs, avec la belle histoire de la Septante, soixante-dix sages ayant fourni séparément une traduction parfaitement identique

Cette inscription, découverte à Athènes lors des fouilles de l'École américaine d'archéologie, indique qu'« il est interdit d'emporter des ouvrages hors de la bibliothèque » et précise les horaires d'ouverture, de la première à la sixième heure. À Alexandrie, les règles sont tout autant drastiques – la Bibliothèque n'est d'ailleurs pas ouverte à tout public : il est non seulement impensable d'emprunter les livres mais les visiteurs peuvent en outre se voir confisquer leurs propres ouvrages pour l'enrichissement des collections !

et, d'autre part, les bribes qui nous sont parvenues des généalogies des dynasties pharaoniques traduites de l'égyptien par le prêtre Manéthon.

« Savoir égale pouvoir », cette équation simple poussait les Ptolémées à rassembler tous les savoirs du monde et de façon exclusive, exacerbant la rivalité avec les autres centres hellénistiques, comme Pergame où la dynastie des Attalides voulut constituer une autre bibliothèque. Pour contrecarrer cette entreprise, les Ptolémées interdirent l'exportation du papyrus, mais en vain puisque cela contraignit les rivaux à inventer un nouveau support, le *pergamenon*, autrement dit, le parchemin !

Cette soif de savoir ne se réduit pas aux seuls documents écrits, mais pousse à continuer l'effort de classement du monde, à travers sa faune et sa flore, entrepris par Aristote et Théophraste dans l'Athènes du IVe siècle avant J.-C. Les Ptolémées ouvrent des jardins zoologiques et montrent les espèces les plus curieuses au cours de processions,

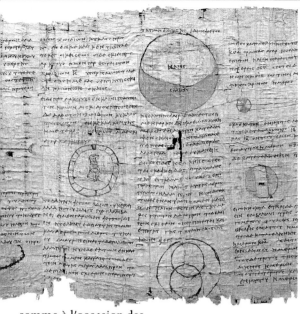

Ce papyrus du IIᵉ siècle avant J.-C., découvert dans le Sarapeion de Memphis, conserve un traité d'astronomie d'Eudoxe de Cnide, l'un des savants grecs qui avaient été à l'école des prêtres égyptiens d'Héliopolis du temps de Nectanébo II, peu avant la conquête d'Alexandre le Grand. En bas, un papyrus nouvellement publié regroupe une carte des Pyrénées avec la description correspondante du géographe Artémidore d'Éphèse (fin du IIᵉ siècle avant J.-C.), des croquis d'animaux et des portraits d'homme au trait d'une qualité remarquable qui évoquent les œuvres de la Renaissance,

comme à l'occasion des *Ptolemaia* de 270 avant J.-C., jeux funèbres que Ptolémée II organise en l'honneur de son père ; il crée également des parcs botaniques où l'on essaie d'acclimater en Égypte les essences importées du reste du monde pour les cultiver dans des domaines agricoles, comme l'attestent les papyrus du IIIᵉ siècle avant J.-C.

mais aussi les peintures des tombeaux macédoniens. On comprend, à l'apparition soudaine de documents de cette qualité, combien de chefs-d'œuvre ont disparu avec l'incendie de la Grande Bibliothèque.

La Bibliothèque n'était pas de consultation publique mais réservée aux savants que les Ptolémées invitaient du monde entier, les rassemblant au Musée, institution de recherche qui jouxtait le bâtiment de la Bibliothèque. Là, on établissait les éditions originales des auteurs grecs, on essayait de débarrasser les textes d'Homère des annotations et commentaires qui les avaient peu à peu alourdis au fil des siècles ; à côté de la philologie,

on s'adonnait aux sciences mathématiques, à l'astronomie. Le premier directeur de la Bibliothèque, Ératosthène, mesura la différence de l'ombre portée par son bâton, à la même heure à Syène – la moderne Assouan – et à Alexandrie. En connaissant la distance entre les deux points, il définit l'arc et, par suite, la circonférence de la Terre (avec une erreur de moins de 2 %). Au cours de ce même IIIᵉ siècle avant J.-C., Aristarque de Samos calcula la distance entre la Terre et la lune, et comprit qu'il se trouvait dans un système héliocentrique; en médecine, Hérophile s'exerça sur les condamnés à mort et ses dissections *in vivo* lui permirent de comprendre que le siège de la pensée se trouvait dans le cerveau et non dans le cœur, de concevoir le système nerveux, voire le système artériel.

Le Musée rassemblait des noms aussi célèbres qu'Euclide ou que le Syracusain Archimède qui, tout en découvrant les lois de la géométrie et de la physique, ne dédaignait pas de se pencher sur les applications, telle cette vis sans fin dont on continue de se servir pour arroser les champs du Delta égyptien... Un héritier de ces ingénieurs sera Héron d'Alexandrie qui rédigera, au début du Iᵉʳ siècle après J.-C., des traités aussi divers que les *Pneumatiques* dans lesquels il explique comment faire bouillir de l'eau pour canaliser la vapeur dans

Sur cette peinture au décor champêtre de la Nécropolis, datée de la fin du Iᵉʳ ou du début du IIᵉ siècle après J.-C., une *saqieh* est mue par une paire de bovidés. Ils sont encouragés par un jeune enfant et puisent l'eau pour l'arrosage des champs. Le même système était utilisé au-dessus des citernes d'Alexandrie. Il est décrit dans le traité d'Héron d'Alexandrie sur l'hydraulique. Bien des siècles plus tard, les savants de l'expédition de Bonaparte observeront l'utilisation de *saqieh* semblables, actionnées par des dromadaires.

un tuyau et utiliser cette force pour ouvrir les portes d'un temple ; la *Dioptrique* où il décrit les propriétés des lentilles de grossissement ; l'*Hydraulique*, où il montre le mécanisme d'un ascenseur du même nom ; la *Mécanique*, où il détaille le nombre et la taille des poulies nécessaires pour monter un bloc de tant de tonnes à une hauteur donnée. Parmi les multiples inventions décrites par Héron d'Alexandrie, citons enfin les fameux aimants qui animaient les statues de Sarapis dans son temple...

C'était un creuset de rencontres, notamment entre la réflexion humaniste de la civilisation hellénique et la vénérable civilisation égyptienne – avec le savoir mathématique et astronomique plurimillénaire religieusement gardé par le clergé – envers laquelle les Grecs ressentaient le plus grand respect et à laquelle les traductions leur donnaient un accès plus aisé. Alexandrie et son Musée furent le centre de découvertes incessantes, parfois oubliées durant les siècles qui suivirent la déchéance de la cité.

La date de la destruction de la Bibliothèque a donné lieu à de longues controverses : on accusa César, car il décrit dans son *De bello alexandrino* comment ses troupes mirent le feu à un hangar rempli de papyrus près du port, mais le lieu indiqué est manifestement trop éloigné pour qu'il s'agisse de la Bibliothèque ; on accusa le général Amr qui s'empara d'Alexandrie en 642 après J.-C., mais les anecdotes qui l'entourent sont dues à un auteur chrétien et donc suspect. Strabon qui séjourne à Alexandrie en 25 avant J.-C. parle seulement du Musée, mais il est vraisemblable que bon nombre

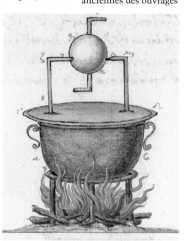

Les bibliothèques européennes conservent une centaine de copies anciennes des ouvrages d'Héron d'Alexandrie. Ci-dessus, la vignette illustrant un de ces manuscrits et, en bas, la maquette construite suivant les indications du traité des *Pneumatiques* d'Héron qui montre l'utilisation de la vapeur pour ouvrir les portes d'un temple : de l'usage de la vapeur seize siècles avant Denis Papin !

de renseignements qu'il nous livre sur l'Égypte proviennent de ses lectures à la Bibliothèque et que si elle avait disparu de son temps, il l'aurait signalé. En fait, là encore, il faut sans doute songer à la violence des destructions de la seconde moitié du IIIe siècle après J.-C., avec les guerres entre Zénobie de Palmyre et l'empereur Aurélien, ou aux troubles qui ont accompagné la fin du siècle, sous le règne de Dioclétien.

L'art des Alexandrins

Ne se contentant pas des importations de toutes sortes, Alexandrie était un lieu de création et ses productions étaient appréciées, comme l'indiquent les auteurs anciens et aussi les découvertes d'objets alexandrins au cours des fouilles archéologiques dans les sites de consommation en Méditerranée. Les mosaïstes alexandrins composaient des médaillons, (*emblèmas*) avec de minuscules tesselles de pierres de couleur, de verre, de faïence et ils exportaient au loin leurs chefs-d'œuvre. Au Ier siècle après J.-C., Pline l'Ancien parle de l'exportation de ces *emblèmas*

Les Alexandrins raffolaient de représentations théâtrales et la ville ne comptait pas moins de quatre cents théâtres. On y jouait les classiques grecs mais aussi de nouvelles pièces comme celles du comique Ménandre. Ci-dessus, un acteur de la nouvelle comédie, de la seconde moitié du IIIe siècle avant J.-C.

Ce chef-d'œuvre de la mosaïque alexandrine (IIe siècle avant J.-C.), découvert en 1993 lors des travaux de la Bibliotheca alexandrina, appartenait aux palais royaux. Il est l'œuvre d'un virtuose qui, comme le montre la ligne de sol, imitait, avec ses tesselles de quelques millimètres de côté – en *opus vermiculatum* – aux coloris subtils, une peinture sur toile, probablement inspirée par une fable : l'air penaud, un chien familier – il porte un collier –, est assis sur les pattes arrières à côté d'un *askos*, un vase en bronze.

alexandrins, mais les spécialistes croyaient que cette technique s'arrêtait plus tôt et que Pline copiait des sources plus anciennes. En fait, la découverte récente, au cours d'une fouille de sauvetage dans une maison des années 150 après J.-C., d'une mosaïque avec un médaillon orné d'une tête de Méduse composée sur un disque d'argile montre que ces créations continuèrent jusque dans l'époque romaine.

Tissus, soieries, mais aussi sculpture de l'ivoire et de l'os, taille des pierres précieuses et du corail, toutes sortes de productions faisaient la gloire et aussi la richesse de la capitale des Ptolémées. On perçoit une évolution dans cette création artistique, dans les modes qui ont prévalu au cours des siècles hellénistiques.

Les Macédoniens qui accompagnaient Alexandre apportèrent leurs traditions, leurs décors. Ainsi, les fouilles de sauvetage ont récemment permis de mettre au jour une véritable Alexandrie macédonienne. Puis, comme dans leurs mœurs et leurs croyances, les Grecs d'Alexandrie subissent peu à peu, au cours des siècles, l'influence égyptienne jusque dans leur art, et l'on assiste à l'éclosion d'un véritable art gréco-égyptien, rempli d'originalité, de finesse et parfois d'humour : qu'on imagine les murs des palais couverts de tommettes de faïence bleu-vert, les décors égyptisants avec ces sphinx ou ces statues piliers des rois représentés en pharaon, mais avec des modelés tout hellénistiques. Heureux mélanges, moments d'échanges créatifs, dans ce creuset qu'est devenue la capitale, ville de rencontres dans les sciences comme dans les arts de deux grandes civilisations.

Cette applique de bronze témoigne du raffinement de l'art alexandrin. Cette élégante Alexandrine porte l'*himation*, un manteau dont les plis, savamment agencés, suggèrent l'harmonieux modelé de son corps.

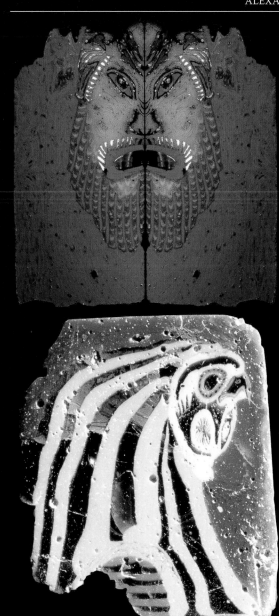

Le travail du verre fut aussi une des spécialités alexandrines. Reprenant la tradition pharaonique, les artisans fabriquaient des vases aux couleurs bariolées, *millefiori* multicolores qui se retrouvent sur tous les centres de consommation de Méditerranée et au delà. Des baguettes de verre de couleurs différentes étaient assemblées et chauffées ensemble de façon à produire divers motifs s'inspirant aussi bien de l'iconographie grecque que de l'iconographie égyptienne : ici, à gauche, une représentation de Dionysos ; en haut, à droite, un silène ; en bas, un Horus faucon. Ces plaquettes, de très petite taille (2,5 centimètres de côté), étaient incrustées dans des cassettes, des meubles ou faisaient partie de décorations murales (Ier siècle avant J.-C.).

Alexandrie, ville romaine

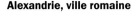

À partir des années 180 avant J.-C., l'Égypte connaît des troubles récurrents qui tiennent tant à des crises économiques, avec le mécontentement de la population égyptienne accablée par le fisc des Ptolémées, qu'aux meurtres perpétrés au sein de la famille régnante, qui ne cessent de déstabiliser le pouvoir des Lagides. En outre, la pression extérieure est intense et Antiochos IV le Séleucide, qui tient la Syrie voisine, n'est empêché d'investir Alexandrie que par la volonté des Romains. Ces derniers sont de plus en plus présents dans le destin de l'Égypte. Ptolémée XII, le père de Cléopâtre, ne devra son trône qu'à l'appui de ses riches protecteurs romains auxquels il verse de grosses sommes d'argent.

Cléopâtre VII représente un dernier sursaut dans cet effort d'échapper à la mainmise romaine sur le pays. En s'alliant à César, elle essaie d'abord de survivre à la guerre acharnée que lui livrent ses deux frères. Elle assure son trône, notamment en concevant un enfant de César et, après l'assassinat de celui-ci en 44 avant J.-C., elle sait jouer de la rivalité entre les prétendants à sa succession, Octave et Marc Antoine. Elle s'attire les faveurs du dernier (auquel elle donnera quatre enfants) et leur attitude aboutit à un affrontement entre les forces en présence : en 31 avant J.-C., c'est la bataille navale

Après la victoire sur Marc Antoine et Cléopâtre, lors de la bataille navale d'Actium, Auguste fit émettre un monnayage avec l'inscription AEGYPT[O] CAPTA de part et d'autre d'un crocodile symbolisant l'Égypte désormais soumise. Les portraits du vainqueur (ci-dessous), érigés dans la ville, remplacent ceux d'Antoine et Cléopâtre dont il ordonne la destruction.

d'Actium, ultime moment de balance entre l'Orient et l'Occident, qui voit s'anéantir les projets de Cléopâtre : l'année suivante, la dernière reine d'Égypte rejoint Marc Antoine dans la mort, laissant le pays aux mains d'Octave (qui devient Auguste trois ans plus tard). L'Égypte est désormais propriété personnelle de l'empereur.

Alexandrie a définitivement perdu son rôle de capitale, elle n'est plus que la première ville d'une des provinces de l'Empire romain. Mais elle reste une ville d'exception. Sa richesse continue de croître, avec les échanges lointains vers l'Afrique et l'Inde ; les ressources de l'Égypte y sont engrangées pour être redistribuées vers la Méditerranée – Rome vit quatre mois par an grâce au blé d'Alexandrie. Sur le plan intellectuel, le Musée continue à rayonner : au Ier siècle après J.-C., l'ingénieur Héron (avec ses multiples machines), le philosophe juif Philon d'Alexandrie, au IIe siècle, le géographe Claude Ptolémée témoignent de cette vivacité de la pensée alexandrine dans tous les domaines du savoir. Alexandrie va bientôt accueillir le message du Christ et vite s'affirmer comme l'un des grands centres de la pensée chrétienne.

Comme ses prédécesseurs, Cléopâtre s'est fait représenter tantôt sous forme grecque, tantôt en pharaon comme sur ce relief du temple de Denderah, dont elle finança une tranche des travaux de construction.

L e christianisme alexandrin se développe dans un milieu de lettrés pénétrés de culture grecque. À la suite de Philon d'Alexandrie, Clément et Origène tentent de concilier leur foi avec la philosophie de Platon. La hauteur de vue de la réflexion alexandrine prendra une grande importance dans la destinée de l'Église naissante et dans la définition de la doctrine, même si elle mène parfois à des hérésies.

CHAPITRE 2

ALEXANDRIE CHRÉTIENNE

Sur cette plaque en ivoire du VIIᵉ siècle, saint Marc, l'évangélisateur d'Alexandrie, est entouré de trente-cinq de ses successeurs. À l'arrière-plan, les habitants de la ville sont massés aux fenêtres et sur les balcons des maisons.

De nombreuses offrandes et inscriptions, telle cette croix peinte en rouge, montrent que la Nécropolis, la nécropole païenne, a été réutilisée par les chrétiens, qui, à leur tour, y inhumèrent leurs défunts.

Alexandrie, un terreau fertile

Cette scène du début du IIᵉ siècle après J.-C. peinte dans une des tombes des catacombes de Kôm el-Chougafa (ci-contre, le relevé) comprend deux registres. En haut, une momification, d'allure « canonique », avec la momie allongée sur un lit en forme de lion : Anubis procède à l'opération, entouré d'Isis et de sa sœur Nephtys. En bas, une scène de la mythologie grecque : alors qu'Aphrodite reste impassible, portant son fils Éros sur l'épaule, Artémis bandant son arc et Athéna brandissant sa lance tentent d'empêcher le rapt de Perséphone que Hadès, le dieu des enfers, emmène de force dans son royaume souterrain.

Au début de notre ère, Alexandrie est une cité cosmopolite aux multiples visages : peuples, langues et cultures du monde antique s'y rencontrent. Formidable creuset culturel, elle mêle tout à la fois les héritages de la pensée grecque, de la religion pharaonique, des vieilles religions de l'Orient et des nouveaux cultes à mystères.

Une découverte récente dans les catacombes de Kôm el-Chougafa donne un éclairage nouveau sur la religion des Alexandrins au début de l'époque romaine : des scènes peintes au-dessus de deux sarcophages associent, en deux registres superposés, une momification d'Osiris, suivant la tradition pharaonique, et, plus bas, l'enlèvement de Perséphone par Hadès ainsi que leur retour à la vie. Les deux cycles montrent ainsi la croyance d'un Alexandrin du début du IIᵉ siècle après J.-C. en une nouvelle vie, exprimée en deux langages, grec et égyptien. Chez ces païens, le terreau est prêt pour un nouveau message, celui du christianisme annonçant la résurrection finale des corps au dernier jour.

L'implantation du christianisme à Alexandrie

Selon la tradition, que les sources trop rares ne peuvent ni confirmer ni infirmer, l'évangéliste Marc aurait enseigné aux

Alexandrins avant de subir le martyre vers 68 après J.-C. La conversion au christianisme intéresse d'abord la communauté juive d'Alexandrie. Forte en nombre et prospère (jusqu'à son extermination par Trajan en 116-117), elle est réceptive au nouvel enseignement, à tel point que l'on considère la nouvelle foi comme une branche du judaïsme.

Le message chrétien parvient d'autant plus tôt dans la cité que les Juifs alexandrins ont conservé des liens étroits avec leurs coreligionnaires de Palestine. Mais cette religion n'est pas réservée à un peuple élu et bientôt des païens suivent l'exemple : des Grecs, voisins des Juifs hellénisés, puis des Égyptiens – peuple dont la grande religiosité est reconnue depuis longtemps par tous les auteurs grecs, Hérodote en tête –, se laissent séduire par ce Messie qui ressuscite à l'image d'Osiris.

Une Église se constitue rapidement – les premières sources remontent au IIᵉ siècle – sous l'autorité d'un évêque, élu par la communauté qui choisit aussi les prêtres et les diacres. Cet évêque représente la communauté alexandrine auprès des autres évêques qui ont pris la tête des églises

La prédication de saint Marc en Égypte est représentée ici par les peintres vénitiens Giovanni et Gentile Bellini dans un décor très italien, malgré les campaniles semblables à des minarets. En 968, des marchands vénitiens volèrent les reliques de saint Marc au patriarcat d'Alexandrie. Ils les transportèrent, selon la tradition, dans une barrique, passant sans encombre la douane, en déclarant qu'il s'agissait de viande de porc. À Venise, une basilique fut alors construite en l'honneur du saint. En 1968, le pape de Rome rendit une partie de ces reliques au patriarche copte orthodoxe.

des principales villes de la
partie orientale de l'Empire,
à Jérusalem, Antioche et
Constantinople, sans que
s'établisse de primauté entre
eux. Ils se réunissent,
parfois en compagnie de
leurs collègues d'Occident,
au cours de synodes, puis de
conciles, rencontres où l'on
essaie de définir un dogme
qui s'imposera à tous.

S'établissant en concurrent
de l'enseignement des
savants du Musée et des
chaires des professeurs
païens, le Didascalée s'érige
en centre d'enseignement
des concepts de la nouvelle
foi (vers 180), intégrant,
avec Clément au IIe siècle
puis Origène, au début du
siècle suivant, les principes
fondateurs qui allient
tradition grecque et principes
chrétiens. Le Didascalée est
le lieu où l'on enseigne aux convertis les principes
de leur foi nouvelle, mais c'est aussi une école
de réflexion qui fera d'Alexandrie un foyer illustre
de la première pensée chrétienne.

Les persécutions contre les chrétiens

Certes, durant ces trois premiers siècles de l'Empire,
la vie d'un chrétien à Alexandrie n'est pas facile, loin
s'en faut : les persécutions se succèdent, depuis 64
après J.-C. jusqu'aux mesures prises par Dioclétien,
qui sont sévèrement appliquées à Alexandrie.

Les peintures
chrétiennes des
catacombes de Kôm
el-Chougafa du
IIIe siècle, aujourd'hui
détruites, sont connues
par des relevés des
années 1860. On
reconnaît (ci-dessous)
le Christ aux noces
de Cana (à gauche)
et la multiplication
des poissons (au centre).

Sainte Catherine est historiquement inconnue, mais elle a fait l'objet d'un culte fervent et son iconographie est riche : à gauche, elle enseigne aux professeurs du Didascalée, cette sorte de Musée chrétien, tandis qu'à droite, elle se prépare au martyre de la roue (fresques de Masolino, XVe siècle, San Clemente, Rome).

L'empereur Dioclétien (ci-dessous) remania profondément l'organisation de l'Empire. Il reprit Alexandrie à un usurpateur, après un long siège, en 297. Ses persécutions contre les chrétiens furent particulièrement dures et les Coptes font partir leur calendrier de la première année de son règne.

Le calendrier copte a gardé le souvenir de ces terribles épreuves : il est calculé à partir de 284 après J.-C., première année du règne de Dioclétien qui marque le début de l'« ère des martyrs ». Les dernières persécutions sont l'œuvre des successeurs de Dioclétien : dans les années qui suivent son abdication en 305, Galère et Maximin Daia continuent sans relâche cette politique de répression, qui ne prend fin en Égypte qu'en 313 après J.-C.

Les martyrs sont nombreux, la plupart du temps anonymes, quelquefois célèbres, telle sainte Catherine. Des évêques sont mis à mort par le pouvoir civil, et l'évêque Pierre, symboliquement considéré comme le dernier martyr, est exécuté en 311 après J.-C.

Fondé au IVe siècle, le monastère Saint-Ménas, ou Abou Mina (ci-contre, les vestiges de la basilique du Ve siècle), fut un lieu de pèlerinages jusqu'au Xe siècle. On allait visiter le saint et on attendait ses miracles, à la suite d'Hélène, la mère de l'empereur Constantin qui fut guérie d'hydropisie. Saint Ménas était un militaire converti au christianisme. Après son martyre en Asie Mineure, son corps fut rendu à sa famille égyptienne mais les deux chameaux qui le portaient s'arrêtèrent soudain en chemin, indiquant l'emplacement où devait être construit le monastère où reposerait le saint.

Un *martyrium* est construit pour abriter sa dépouille dans la Nécropolis : là les chrétiens se réfugient dans les vastes hypogées dont l'aménagement remontait à la fondation de la cité. Pourchassés de la ville, ils s'approprient des tombes païennes et y enterrent leurs morts.

Le monachisme

Une façon d'échapper aux persécutions est de se réfugier dans le désert. Cette pratique se développe d'une manière volontaire, tant la solitude et le dénuement qu'elle procure semblent propices à réfréner les passions et favorisent le recueillement et le détachement des contingences du monde. C'est ainsi que naît le monachisme égyptien, avec la constitution rapide de communautés de moines dans des institutions qui tentent de survivre au sein d'une nature hostile, loin des villes. Au début du IVe siècle sera fondé un grand monastère, à une cinquantaine de kilomètres au sud-ouest d'Alexandrie, Saint-Ménas, qui connaîtra une grande dévotion de la part des pèlerins. Certains peuvent pousser leur quête religieuse en se retranchant dans l'érémitisme, et des ermites comme Antoine ou Paul sont des exemples célèbres de reclus volontaires, isolés pendant des décennies dans le désert égyptien.

Le monachisme égyptien sert d'exemple en Palestine, en Syrie, en Asie Mineure (avec la fondation par Basile d'un monastère à Césarée en 357), à Constantinople même et jusqu'en Afrique du Nord (avec saint Augustin). Le voyage à Rome de l'évêque d'Alexandrie, Athanase, en 341 révèle les principes de la vie monastique à l'Occident. Il semble que, durant son exil, il rencontra Martin, le futur évêque de Tours, qui en conçut le projet de fonder le premier monastère du monde latin, à Ligugé (en 360) puis, sur une plus grande échelle, à Marmoutier (en 372). L'exemple venu d'Égypte allait ensuite essaimer dans tout l'Occident.

Imprégnés de culture grecque, les Pères de l'Église alexandrine captèrent l'attention des Hellènes par leur enseignement au sein du Didascalée, l'école des catéchumènes qui rivalisa bientôt avec le Musée païen : Clément d'Alexandrie puis Origène (ici représenté sur un manuscrit du XIe siècle) en furent les premiers maîtres. Mais bientôt leur réflexion philosophique se heurta à la hiérarchie, et le patriarche Démétrios contraignit Origène à s'exiler à Césarée. Les derniers écrits de son œuvre prolifique furent considérés comme déviants de la doctrine de l'Église officielle.

Le IVe siècle : le triomphe de l'Église

L'arrivée au pouvoir de l'empereur Constantin marque une nouvelle étape dans l'histoire de l'Église. L'ère des persécutions s'arrête brusquement. En 313, Constantin proclame la liberté des cultes. Le christianisme devient un fondement de l'Empire et l'empereur intervient dans les débats théologiques, forçant les évêques à s'accorder sur le contenu de la foi chrétienne. Alexandrie va jouer un rôle actif dans l'élaboration de la doctrine, d'autant que certaines interprétations déviantes proviendront du clergé alexandrin. Ainsi la reconnaissance officielle s'accompagne-t-elle de violents soubresauts, venus non plus de l'extérieur, mais du fait des chrétiens eux-mêmes.

Les empereurs du IVᵉ siècle s'immiscèrent dans les décisions des responsables de l'Église : sur ce manuscrit du IXᵉ siècle, Constantin, assis sur son trône impérial, portant une couronne auréolée, préside le concile de Nicée, accompagné des patriarches de Constantinople, Antioche, Jérusalem et Alexandrie. Au-dessous, les livres hérétiques des Ariens sont brûlés sur l'ordre de Constantin.

L'évêque d'Alexandrie Théophile applique la décision impériale de fermer les temples païens en saccageant le plus fameux sanctuaire d'Alexandrie, le temple de la divinité « poliade » (de la cité) instituée par Ptolémée Iᵉʳ sept siècles plus tôt : on le voit ici (à droite) surmontant en majesté le sanctuaire de Sarapis, la vieille divinité barbue, figurée en bas entre des colonnes sous un fronton triangulaire.

Première crise : l'arianisme

De 326 à 381, l'Église traverse une grave crise, celle de l'arianisme. Prêtre dans une paroisse d'Alexandrie, Arius considère que seul le Père est *agènnetos*, « non né », « non créé », alors que le Fils revêt les deux natures, divine mais aussi créature du Père. Cette doctrine connaît un succès populaire et même l'évêque adopte cette croyance. Le concile de Nicée, réuni en 325, condamne Arius et déclare que le Fils est *homoousios*, « engendré et non créé ». Patriarche d'Alexandrie à partir de 328, Athanase lutte jusqu'à sa mort contre cette hérésie qui faillit bien s'imposer, d'autant que le pouvoir byzantin louvoie dans son attitude envers cette grave crise de l'Église alexandrine, peut-être pour l'affaiblir et affirmer la suprématie de Constantinople. Les heurts sont violents, les traces profondes, mais l'Église officielle sort victorieuse de cette rude épreuve. Ce n'est toutefois que repousser l'échéance vers une nouvelle confrontation entre position de la hiérarchie et aspirations populaires.

La destruction des temples païens

En 391-392, l'empereur Théodose interdit les cultes païens. À Alexandrie, l'effet ne se fait pas attendre : l'évêque Théophile entraîne ses troupes à l'assaut du symbole du paganisme depuis la fondation de la ville, sept siècles plus tôt. Il ordonne le saccage du sanctuaire de Sarapis et sur ses ruines installe un monastère dédié à saint Jean. Sur le Césaréum, le sanctuaire consacré au culte impérial, en plein centre ville, il édifie une église.

Après deux siècles de persécutions contre les chrétiens, le renversement est total avec l'instauration violente du christianisme et la chasse aux païens : la lutte s'étend à l'enseignement de la philosophie païenne. Les affrontements sont sanglants. Les martyrs sont maintenant les païens, comme la célèbre philosophe Hypatie, qui est déchiquetée par des hordes de moines noirs aux ordres du successeur de Théophile, l'évêque Cyrille, dans les rues d'Alexandrie en 415 après J.-C.

Les églises d'Alexandrie

Les premiers chrétiens tenaient leurs réunions dans des maisons particulières ainsi que dans les cimetières, autour des sépultures des martyrs. À partir du milieu du IIIe siècle et surtout au siècle suivant, la communauté commence à bâtir des lieux de culte à l'intérieur de la cité. Bon nombre d'églises chrétiennes s'élèvent en lieu et place de temples païens ou tout du moins dans les quartiers qui portaient leur nom. En la quasi-absence de traces archéologiques à ce jour, seules les sources écrites nous renseignent sur une douzaine d'églises, certaines bâties à l'intérieur d'un ancien sanctuaire païen, comme celle du Césaréum ou l'église Saint-Michel élevée dans l'ancien temple de Kronos-Saturne (l'archange prenant la suite de Thot), ou encore le Mendidéion construit dans le (ou près du) sanctuaire de la divinité orientale Bendis. D'autres établissements cultuels portent le nom de quartiers (la Baukalis), de donateurs, tels ceux de Sarapion et d'Anianos, ou des évêques qui les ont construits, comme Denys ou Théonas, qui avait élevé la première résidence des évêques, à l'ouest de la ville. En outre, les cimetières restent des lieux de rassemblements, notamment autour de deux *martyria*, celui de Saint-Marc à l'est et son pendant symétrique à l'ouest dans la Nécropolis, avec l'église de Pierre le Martyr, implantée au milieu des hypogées funéraires.

Le dieu Horus, à cheval, transperce de sa lance un crocodile, l'animal de Seth, le dieu maléfique. Ce bas-relief du IVᵉ siècle montre une version égyptienne de l'archange saint Michel terrassant le dragon.

La naissance de l'Église copte

Depuis le concile de Nicée de 325, l'évêque d'Alexandrie est le chef de l'épiscopat égyptien mais le même concile affirme la primauté de l'évêque de Constantinople au sein de l'Église byzantine. Cette sujétion au pouvoir central devient une source de conflit de la part des Égyptiens vis-à-vis des Grecs.

En 451, le concile de Chalcédoine consacre une scission de l'Église alexandrine. Jusqu'alors, les Égyptiens avaient supporté, tant bien que mal, le pouvoir des Byzantins, maîtres du pays depuis le partage définitif de l'Empire romain en 395. Si le pouvoir civil s'impose, notamment grâce à son bras armé, le fonctionnement de l'Église est plus démocratique, avec la liberté de recourir, dès le IIIe siècle, à des traductions des textes chrétiens dans la langue vernaculaire (avec une nouvelle graphie, adaptée du grec) et le recours à l'élection pour certaines charges ; bientôt majoritaires,

La ville d'Alexandrie est représentée sur cette mosaïque jordanienne de 531 après J.-C., trouvée à Gerash. On reconnaît, dans l'enceinte des murailles renforcée de tours, un enchevêtrement de maisons et de bâtiments à coupoles, les premières églises de la ville.

les Égyptiens parviennent à conquérir les rênes de l'institution.

Les responsables de l'Église égyptienne sont des Grecs jusqu'au Ve siècle. Les choses se gâtent lorsqu'en 444 Dioscore, un Égyptien, est élu patriarche. Cette situation est mal acceptée par les Grecs et ils réagissent promptement. Le pouvoir byzantin ne pouvait accepter de bon cœur ce qui

À gauche, ce chapiteau en marbre de Marmara, œuvre de l'art constantinopolitain du IVe siècle, est un vestige présumé de l'église Saint-Marc à Alexandrie.

semblait l'émergence d'une Église nationale qui aurait pu entrer en conflit avec le pouvoir séculier imposé depuis Constantinople.

La lutte se cristallise sur un plan dogmatique. Les Égyptiens, groupés derrière Dioscore, refusent de reconnaître la double nature, humaine et divine, dans la personne unique du Christ. Considérés comme monophysites, ils sont désormais désignés

Cette peinture du monastère de Jérémie à Saqqarah montre un Christ en gloire dont le pouce et l'index joints marquent sa double nature, humaine et divine, conformément au concile de Chalcédoine.

comme hérétiques par les empereurs byzantins. Dioscore est déposé et exilé. Les Grecs installent à sa place un Hellène, Protérios. La réaction des Égyptiens ne se manifeste qu'à la mort de Protérios en 457 : dès lors, ils élisent leur propre patriarche, Timothéos II, qui entre en concurrence avec celui que nomment les Grecs. Depuis cette date, coexistent deux lignées de patriarches, le copte et l'orthodoxe grec (qu'on appellera « melkite », le « royal », après la conquête arabe de 641), qui se réclament tous deux de l'héritage de saint Marc.

Jusqu'à la conquête arabe, l'Église alexandrine reste aux mains des Grecs, de même que les possessions voisines, tel le monastère Saint-Ménas, ou les grandes villes du pays ainsi que dans certains îlots éloignés à l'exemple du monastère Sainte-Catherine du Sinaï. Leur champ de pouvoir est lié au degré d'hellénisation des communautés. En revanche, le reste du pays est bien aux mains des Coptes et la reconquête d'Alexandrie se fera dans la foulée de la prise du pays par les Arabes : selon l'historien du IXe siècle Ibn 'Abd el-Hakam, sur les deux cent mille Grecs qui habitaient la capitale, trente mille hommes quittèrent la ville en 642, sur une centaine de vaisseaux et les autres furent abandonnés à leur sort... Certes, ces chiffres sont sans doute symboliques, mais ils n'en dénotent pas moins l'ampleur des conséquences sur la communauté hellène qui avait vécu et gouverné à Alexandrie pendant un millénaire. Ces temps sont désormais révolus : le patriarche copte se trouve en position de force et on assiste même à la disparition du patriarcat melkite entre 642 et 727. Par la suite, les Grecs auront un accès difficile aux lieux de culte pris en mains par l'Église nationale. Les nouveaux maîtres du pays, les Arabes, ne s'y méprennent pas : c'est eux qui forgent le mot « copte » à partir du grec *Aigyptoi* (« Égyptiens »), ne les désignant pas par leur religion, mais par leur appartenance au pays.

Alexandrie connaît un foisonnement de croyances religieuses et de cultes apportés par sa population cosmopolite. Les Mazdéens, les Manichéens, les adeptes de Mithra côtoient les différentes sectes chrétiennes, dont les gnostiques, un des mouvements dont l'importance est attestée par les codex de Nag Hammadi (ci-dessous). Cette doctrine combattue par Clément d'Alexandrie opposait au monde mauvais, œuvre du dieu de l'Ancien Testament, un monde parfait, le *plérôme*, amputé par la chute d'un *éon*, émanation divine associée à la « Sagesse », la *Sophia*.

« Alexandrie est un joyau dont l'éclat est manifeste, et une vierge qui brille avec ses ornements. Elle illumine l'Occident par sa splendeur ; elle réunit les beautés les plus diverses, à cause de sa situation entre l'Orient et le Couchant. Chaque merveille s'y montre à tous les yeux, et toutes les raretés y parviennent. »

Ibn Battûta de Tanger,
Voyages et périples, 1356

CHAPITRE 3

ALEXANDRIE ARABE ET OTTOMANE

À la fin du XIIᵉ siècle, Saladin consacra des fondations (ci-contre, l'un de ces actes) pour accueillir à Alexandrie pèlerins et marchands maghrébins venus s'y installer. « L'un des mérites et des avantages de cette ville, note Ibn Jubayr en 1183, [...] est les Écoles et les Couvents qui ont été fondés par les gens d'étude et de piété qui s'y rendent des contrées les plus éloignées. »

Les armées arabes s'emparent de l'Égypte sans trop
de mal, dès 639, mais les murailles d'Alexandrie
présentent un obstacle de taille à leur général
'Amr Ibn al-'As et il lui faut plusieurs mois
pour s'emparer de la capitale qui tombe enfin
à l'automne 641. Tout comme elle s'était offerte
à Alexandre le Grand en 332 avant J.-C. pour se
libérer du joug perse, l'Égypte espère des nouveaux
conquérants la délivrance du pouvoir gréco-romain.
Nomades venus de la péninsule arabique,
les nouveaux maîtres de l'Égypte sont un peu
désemparés devant la mégapole, monde nouveau
qui provoque leur admiration et leur méfiance.
Le sultan Uthman interdit même à 'Amr d'y
installer ses troupes trop longtemps à l'intérieur
des murailles et le général byzantin Manuel
en profite pour reprendre la ville dès 645. Il faudra
un nouveau long siège à 'Amr, appelé à la rescousse,
pour l'en déloger définitivement.

Alexandrie, *Iskanderiyya* en langue arabe, devient
une ville de la province égyptienne, subordonnée
à la nouvelle capitale Fostat-Le Caire.

Le cadre institutionnel

Certes la ville reste une *polis* : elle a statut de cité,
avec un gouverneur secondé par un juge civil
et religieux (*qadi*), un capitaine du port et un
directeur des douanes. Pendant les années qui
suivent la conquête, les Arabes maintiennent dans

Au IXe siècle, la ville
fut entourée d'une
enceinte nouvelle, fort
réduite par rapport à la
muraille antique. Les
fouilles archéologiques
récentes ont mis
au jour les tranchées de
récupération de pierres
antiques pour cet
ouvrage important
dont la renommée était
relayée par les
voyageurs. Dans cette
nouvelle configuration
urbaine, Alexandrie
allait connaître une
prospérité certaine
pendant plus d'un
demi-millénaire, en
tant qu'avant-port de
Fostat puis du Caire,
jusqu'à l'arrivée des
Ottomans en 1517.

Au XIIe siècle, les Fatimides, installés au Caire depuis 200 ans, laissent le pouvoir aux Ayyoubides. Saladin, leur plus éclatant représentant, repousse les attaques des croisés jusqu'en Syrie et renforce les murailles d'Alexandrie, afin d'éviter toute nouvelle incursion. Ci-contre, l'affrontement entre guerriers fatimides et croisés.

Afin de désorganiser les voies commerciales qui le concurrencent, le roi de Chypre Pierre Ier de Lusignan lance en 1365 une razzia contre Alexandrie : le pillage dure deux jours, avant l'arrivée des renforts mamelouks venus du Caire.

les fonctions de préfet (*muqawqis*), le patriarche byzantin Cyrus, puis un autre Grec qui portera le titre d'*augustalios*, jusque sous le début des Omeyyades. Ce fut ensuite un musulman, parfois un copte. Sous Ibn Tulun, la ville acquiert une autonomie qu'elle conservera jusqu'au Xe siècle, mais elle perd sa relative indépendance après la chute des Fatimides, en 1171. Alexandrie est désormais une *taghr*, une ville frontière, place forte du *jihad* contre les Francs.

Alexandrie est une cité bien tentante : incursions, razzias et invasions se succèdent (Normands de Sicile en 1153 et 1155, puis les Pisans, les Normands de nouveau en 1174), animées par l'appât du butin ou par la volonté de déstabiliser les courants commerciaux qui transitent par Alexandrie.

Le cadre urbain

Les chroniqueurs et les voyageurs du IXᵉ au XIIIᵉ siècle ne donnent que des descriptions générales. Au détour d'une phrase, on apprend que si les Arabes furent éblouis par l'apparence de la ville dont la construction et les monuments durent leur sembler l'œuvre d'une puissance surnaturelle, ils n'en utilisèrent pas moins de façon pratique les beaux restes : ainsi, au VIIIᵉ siècle, une statue de bronze

Sur ces gravures qui se recopient l'une l'autre pendant deux cents ans depuis le XVIᵉ siècle, on distingue le canal qui pénètre en cinq branches sud-nord à l'intérieur de la double muraille aux multiples tours. Au centre, un ensemble de mosquées, un habitat clairsemé ; en mer, des bateaux arabes et latins à haut bord. À droite, à l'arrière-plan, la colonne Pompée, à l'extérieur des murailles.

fut fondue pour battre monnaie à un moment où le métal venait à manquer.

Visiblement, les anciens palais royaux sont abandonnés. Le nouveau centre du pouvoir se déplace à l'autre bout de la ville, à l'ouest, avec le Dar al-Sultan, l'arsenal, le chantier naval et le poste de douane. La politique arabe alexandrine est entièrement tournée vers la défense de la frontière, la rentrée des impôts et la levée des taxes douanières. Un minimum d'entretien du cadre urbain s'avère indispensable, notamment la réparation des murailles, du Phare, des ports et du canal.

On attribue à Ibn Tulun ou à son père l'édification de la nouvelle enceinte qui réduit de moitié la surface de la cité. Forte d'une centaine de tours, cette muraille fut entretenue au cours des siècles : Saladin (1172-1193), Baybars (1260-1276),

Les murailles impressionnent beaucoup les voyageurs, tel Bernard de Breydenbach, doyen de la cathédrale de Mayence, en route pour la Terre sainte en 1483 : « Introduits dans la ville, nous demeurâmes stupéfaits de ne voir de toutes parts que des ruines lamentables, nous ne pouvions revenir de notre étonnement en voyant des murailles si belles et si fortes entourer une ville si pauvre » (*Les Saintes Pérégrinations*).

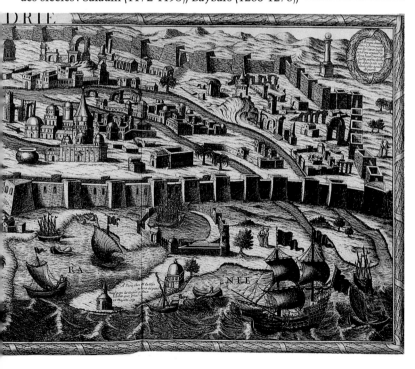

Sha'ban (1363-1376), sans oublier Qaitbay et al-Ghouri, juste avant l'invasion ottomane, procédèrent à de multiples réfections.

On confisqua des églises pour les transformer en mosquées : ainsi la grande mosquée de l'est, al-Djami el-Gharbi, est-elle l'ancienne église de Théonas, tandis que celle d'Attarine correspond à l'église Saint-Athanase. Une des premières actions du général 'Amr avait été de bâtir une mosquée ; le sultan al-Hakim la détruisit en 1004 pour la remplacer bientôt par un bâtiment plus important. Certains sultans eurent aussi une œuvre de bâtisseurs, à l'exemple de Saladin qui construisit hôpital, école et hôtel pour accueillir les nombreux Maghrébins qui affluaient vers la ville.

Les ports

De la sécurité du port et – dans une moindre mesure – des caravanes terrestres qui viennent de l'est dépend la prospérité de la cité. Seul le port est (l'ancien grand port, le port royal) est autorisé aux chrétiens. Son accès est difficile : il faut tirer au plus près du Phare pour éviter les hauts-fonds du côté des anciens ports royaux. Des pilotes manœuvrent des chaloupes pour accoster à des pontons en bois.

Usé par l'âge et par les séismes qui frappent régulièrement Alexandrie, le Phare est l'objet de constants travaux : Ibn Tulun transforme le troisième étage en mosquée après son effondrement ; Saladin reconstruit en partie le Phare, de même que Baybars qui, après la disparition du deuxième étage, installe une mosquée directement sur la terrasse du premier

À la fin du IXe siècle, Yakoubi de Bagdad exprime son admiration au spectacle du Phare : « Parmi ses prodigieux édifices, on compte le Phare, situé au bord de la mer, à l'entrée du grand port, c'est une tour solide et bien construite, haute de 175 coudées, au sommet de laquelle se trouve un foyer où l'on allume des feux lorsque les vigies aperçoivent des navires loin au large. » Ibn Jubayr monte le 1er avril 1185 jusqu'à la mosquée sommitale : cet oratoire est « renommé pour la baraka que les gens vont y chercher, en y faisant la prière rituelle ». Au même moment, un autre voyageur connu sous le surnom d'al-Andalusî, « l'Andalou », visita Alexandrie et livra une description du Phare, la plus précise que l'on connaisse. Parmi les six copies manuscrites de ce texte conservées à la Bibliothèque nationale de Paris, l'une, datée du XVIe siècle, est enrichie de vignettes montrant le monument. On distingue ici la rampe d'accès qui mène à la porte d'entrée et les trois étages surmontés d'une coupole.

étage. Le violent séisme de 1303 a raison de la tour.
Le voyageur maghrébin Ibn Battûta indique qu'en
1329 il peut accéder à la porte du premier étage,
ce qui lui est impossible lors de sa seconde visite
à Alexandrie en 1346.

Après la chute du Phare, les mouvements des
bateaux seront surveillés à partir d'une hauteur
artificielle, Kôm el-Nadura, littéralement,
la « colline de la guette ». Du côté
oriental du port est, le sultan
mamelouk Kalawun construit
en 1365 une autre forteresse,
bâtiment que les voyageurs
vont appeler le « Pharillon ».

Quant au port ouest, l'ancien
Eunostos, il est réservé aux
bateaux musulmans. L'obsession
sécuritaire est si forte qu'une
chaîne de fer en verrouille
l'accès. Il est vrai que la côte sud
du bassin renferme le chantier
naval et ses navires de guerre
qu'il fallait particulièrement
protéger des incursions franques.

Durant le Moyen Âge,
le commerce maritime
à Alexandrie est
intense. Ici, un navire
marchand avec
un équipage indien
et des passagers arabes
croise dans les eaux
du golfe Persique.

La population

Au IXe siècle, l'historien Ibn 'Abd
al-Hakam fixe à 600 000 le nombre des Grecs
au moment de la conquête, outre 40 000 Juifs.
Ces chiffres sont sujets à caution : au XIIe siècle,
le Juif Benjamin de Tolède ne signale que 3 000 Juifs ;
au XIIIe, les sources parlent de 60 000 habitants
en tout, mais ils viennent d'être décimés par une
épidémie de peste ; au XIVe, on compte de nouveau
50 000 à 60 000 habitants.

❝Quand on entre à
Alexandrie, on trouve
un beau fort avec
vingt-deux tourelles
et un mur épais de dix
coudées entre chaque
tour [...]. Je n'ai jamais
vu une aussi belle
forteresse, n'ayant que
trois années ; huit cents
Mamelouks y dorment
chaque nuit.❞
Voyageur anonyme,
XVe siècle

Aussi fluctuants soient-ils, ces chiffres restent tous bien loin des estimations de la population dans l'Alexandrie antique. Cette dépopulation ira en s'accentuant au fur et à mesure des siècles.

Au moment de la conquête, les Coptes sont certainement les plus nombreux. Ils arrivent à cohabiter avec les nouveaux maîtres, tout en conservant leur religion, même si l'on assiste à des conversions massives – notamment pour échapper à l'impôt de la capitation – aux VIIIe et XIIIe siècles. Ils conservent une activité importante dans le commerce et même dans les fonctions officielles.

Les Maghrébins et les Andalous trouvent la ville sur le chemin du pèlerinage vers La Mecque. Ils s'y installent nombreux et commercent avec leurs pays d'origine, encouragés par les gouvernants, notamment les Fatimides qui, venus du Maroc, s'étaient emparés de l'Égypte en 969 pour deux siècles. Leurs successeurs,

❝Ces fondiques ont une forme assez carrée et ressemblent très fort aux « khans », mais à l'intérieur ils sont différemment conçus, avec des allées et des étages, deux ou trois l'un sur l'autre, avec des chambres tout autour où logent les marchands ; les étages inférieurs sont de simples voûtes qui s'appuient chacune sur elle-même et où chaque marchand enferme ses marchandises. Ces endroits sont appelés magasins. Au milieu se trouve un emplacement où les marchands apportent, échangent, emballent ou déballent leurs marchandises. Chaque soir, lorsqu'il commence à faire sombre, les serviteurs de l'émir et seigneur de la ville viennent fermer tous les fondiques, afin que les marchands ne soient pas maltraités par les païens.**❞**
Joos van Ghistele, bourgeois flamand, vers 1480

à l'image de Saladin qui offre des constructions à cette communauté, les ménagent, car leur activité de négociants fournit des revenus appréciables au régime en place.

Les Bédouins sont installés dans les faubourgs, dans le désert, à l'orée du Delta. Ils contrôlent le commerce par voie de terre et, en cas de trouble, on fait appel à eux pour trancher, souvent de façon violente, les problèmes de pouvoir. Ils sont rarement dans la ville, mais leur présence se fait sentir dès qu'Alexandrie doit entrer en contact avec le reste du pays.

Enfin, les Francs. Ils ne sont guère nombreux, pas plus de deux cents, mais occupent pourtant beaucoup de place. Ce sont des marchands, des Vénitiens, des Français, des Catalans, des Pisans, etc. Au XIIIe siècle, vingt-huit villes franques ont des représentants à Alexandrie. Ces Francs vivent sous l'autorité de leur consul, logent dans des *khans* ou *funduks* qui leur sont réservés et qu'ils ne peuvent quitter la nuit tombée. Ils disposent de leurs églises et sont protégés par les autorités : si leur sort reste parfois aléatoire en fonction des attaques des flottes qui patrouillent ou piratent dans la région, leurs droits et leur sécurité sont en règle générale assurés par le pouvoir ; on les ménage, car ils rapportent eux aussi beaucoup de taxes.

La religion musulmane

Les nouveaux maîtres apportent avec eux une religion nouvelle. Désormais, les trois religions du Livre sont reconnues – islam, judaïsme et christianisme. Les conquérants, originaires d'Arabie, sont sunnites, mais bien vite, dès le VIIIe siècle, les influences chiites venues du Maghreb se font sentir. Sous les Fatimides, en liaison avec le souci du *jihad*, de la guerre sacrée dans une cité menacée par les croisés, cette influence devient

En 1183, Ibn Jubayr affirme qu'Alexandrie contient « dix mille mosquées, d'après les uns, huit mille d'après les autres. [...] En vérité, ajoute-t-il, elles sont fort nombreuses, quatre ou cinq sur le même lieu, et parfois se chevauchant l'une l'autre ». Plus mesuré, le Juif lituanien Samuel Jemsel visite Alexandrie en 1641 et note que « les mahométans y possèdent trente mosquées, parmi

lesquelles on en distingue une qui repose sur mille colonnes de marbre ». Dans la ville turque, on visite aujourd'hui des mosquées des Xe et XIIe siècles, telle celle d'Abou Ali (ci-dessus). À gauche, la mosquée Attarine, sur le site de l'ancienne église Saint-Athanase.

prédominante et on assiste à l'émergence d'un mouvement alexandrin, la *Shadiliyya*, apporté par un Marocain et développé par son successeur, l'Andalou Abou el-Abbas el-Morsi, mort à Alexandrie en 1287. Enterré dans la plus grande mosquée de la cité, il reste encore aujourd'hui le véritable saint patron de la ville. Sa fête, son *mouled*, illumine Alexandrie pendant plusieurs jours chaque année. Mais avec l'arrivée des Mamelouks au milieu du XIIIᵉ siècle, le centre du pouvoir revient au Caire et l'école alexandrine émigre vers la capitale.

Parallèlement, après un détour par le Delta, le patriarcat copte connaît un transfert définitif vers

La fabrication des *tiraz* (bandes de tissu ornant les robes d'honneur), particulièrement active à Alexandrie, était un monopole d'État. Ces étoffes luxueuses (à droite) étaient exportées vers toutes les parties du monde. Au Moyen Âge, l'une des tenues d'apparat des papes comportait un riche brocart de soie issu des ateliers alexandrins.

Le Caire au VIIIe siècle. Ce n'est pas une mesure autoritaire ou vexatoire, mais le simple reflet de la nouvelle donne politique et économique : argent et pouvoir se concentrent dans la nouvelle capitale.

Les Byzantins, aussi appelés Melkites (« royalistes »), naguère les maîtres du pays, n'existent plus. Après la conquête arabe et la disparition de Cyrus, patriarche orthodoxe et préfet d'Alexandrie, le patriarcat grec disparaît pendant presque un siècle.

Une grande prospérité économique

Les récentes découvertes archéologiques ont changé notre perception de l'histoire de l'Alexandrie médiévale. Certes, Alexandrie est déchue de son statut de première ville d'Égypte mais les fouilles montrent une profusion de marchandises importées du monde entier, depuis l'*Ifriqiyya* (le Maroc) à l'ouest jusqu'aux céladons chinois, et ces échanges ont continué sur une grande échelle jusqu'à la fin du XIVe siècle.

Les péages sont la source de revenus la plus importante pour les sultans. À partir du XIe siècle, Pise, Gênes et Venise viennent directement se ravitailler à Alexandrie. Al-Makrisi, au XIVe siècle, atteste qu'un seul bateau franc peut rapporter jusqu'à 40 000 dinars de droits. C'était sans doute un cas remarquable, mais on estime que les sultans retiraient bon an mal an plus de 100 000 dinars des droits d'importation et d'exportation.

Soies, brocarts fort réputés, coton et laine constituent la production locale : on compte jusqu'à quatorze mille métiers au XVe siècle, mais la concurrence des draps de Flandres et d'Angleterre, moins chers, se fera durement sentir au siècle suivant. On exportait aussi de l'alun, du natron (pour les draps), des épices, notamment le poivre (les Vénitiens en achetaient 1 500 000 livres par an), des aromates, du corail (surtout pour le marché d'Extrême-Orient), des perles, du mercure, des esclaves.

"Alexandrie est le principal port du royaume d'Égypte. Beaucoup de marchandises y sont apportées, en particulier du poivre et d'autres épices, venant du Caire par le Nil. Ici, les amis des Turcs aussi bien que leurs ennemis peuvent faire du commerce, car elle est une « escale libre ». Les bateaux ragusains, siciliens, napolitains, ceux de Livourne, de Gênes et des autres villes chrétiennes de la mer viennent ici à côté des bateaux français, vénitiens et anglais. Tous circulent librement et ouvertement, à condition de présenter et de donner à leurs consuls respectifs le pourcentage qui leur est dû, [en retour] ces derniers leur donnent protection et sauvegarde." Johann Wild, Allemand de Nuremberg, esclave en Égypte de 1606 à 1610.
(À gauche, la pesée des marchandises.)

Les commerçants juifs d'Alexandrie mènent une intense activité à titre d'intermédiaires. Leurs archives conservées, des XIIe et XIIIe siècles, témoignent d'échanges incessants de personnes et d'informations entre la capitale et Alexandrie, malgré les sept jours de voyage

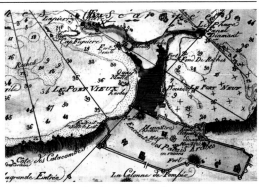

(les courriers express pouvaient réduire la durée jusqu'à sept jours aller-retour).

La ferme volonté du pouvoir central de protéger les agents du commerce explique sans doute la prospérité de la ville à l'époque médiévale. Pourtant, dans le monde arabe, les pôles économiques majeurs ne sont pas situés sur les côtes. De fait, Alexandrie n'est plus que l'avant-port du Caire et achemine les marchandises vers les entrepôts protégés de la lointaine Fostat. Néanmoins, la cité méditerranéenne et ses grands ports bien abrités continuent d'exploiter leurs avantages naturels, ceux-là mêmes qui avaient séduit les Anciens.

Sur cette carte maritime du XVIIIe siècle due à un imprimeur de Marseille, la muraille toulounide du IXe siècle figure toujours, mais on voit que la ville s'est confinée dans l'isthme où se sont installés les Ottomans en 1517.

Les mosquées d'Alexandrie sont fortement inspirées par l'art maghrébin – architecture de briques de couleur rouge et noir, suivant le mode de cuisson ; mosquée à étage avec boutiques de rapport au rez-de-chaussée (à l'exemple de la mosquée Chorbagi) ; décor de carreaux tunisiens et marocains – d'autant que les mosquées sont souvent des fondations offertes par de riches marchands maghrébins installés à Alexandrie. Ci-contre, la mosquée Abd el-Latif (XVIIe-XVIIIe siècle), représentée par l'architecte Pascal Coste en 1822.

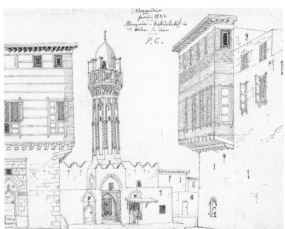

Alexandrie ottomane

Les Mamelouks au pouvoir depuis 1251 sont menacés par les Ottomans. S'attendant à une attaque par la mer, le sultan Ashraf Qaitbay entreprend la construction d'un chapelet de fortins sur la côte (comme celui de Rosette). En 1477, il fait élever un château sur les fondations de l'ancien Phare. En fait, les Turcs arrivent par la terre : Sélim traverse le Sinaï et s'empare du Caire, avant d'envoyer ses émissaires s'assurer d'Alexandrie, en 1517.

Pressurés par les Mamelouks du Caire qui réussissent à subsister après l'invasion turque, les Alexandrins vont faire preuve de loyalisme vis-à-vis des Ottomans.

Le cadre de la ville a changé : les Turcs ne s'installent pas à l'intérieur de l'enceinte toulounide, dans les ruines des maisons gréco-romaines. Ils préfèrent bâtir sur la langue de terre qui se forme, par ensablement, de part et d'autre de l'Heptastade. Sur ce sol vierge, ils utilisent les matériaux de la ville antique pour construire ce que les savants de l'expédition de Bonaparte appelleront la « nouvelle ville ». Ce mouvement s'amplifie avec le transfert de quasiment toute la population, comme on peut le constater sur les cartes de la ville.

Alexandrie n'a plus d'hinterland et, dès que l'on quitte les murs, on doit craindre d'être détroussé par une horde de Bédouins. Vers 1650, le canal qui relie la ville au Nil cesse d'être navigable, faute de travaux d'entretien. Les pachas nommés par Istanbul ne restent pas assez longtemps en poste pour

Les sultans ottomans prennent possession de l'Égypte en 1517. Sélim préserve les institutions existantes et place à leur tête des gouverneurs, contrôlés par l'armée ottomane et son corps des redoutables janissaires.

entreprendre de grands travaux. Les finances
de la ville souffrent du tribut annuel envoyé
à Istanbul et des détournements des Mamelouks :
infiltrés au sein du corps des janissaires, ils mettent
la main sur les revenus des douanes et par ailleurs
sur les taxes foncières. La corruption administrative
ne favorise pas les entreprises d'envergure.
Cette marginalisation de la ville est due à la faiblesse
de l'administration qui n'a pas su maintenir des liens
étroits entre Le Caire et Alexandrie.

La population alexandrine a sensiblement
diminué. Les estimations varient de 3 000 à 15 000
habitants : Égyptiens musulmans et coptes, les plus
nombreux, Turcs, Maghrébins, Syriens, Juifs et une
poignée de marchands francs. La peste est la grande
responsable de ce phénomène de dépopulation.
Jusqu'au XIXe siècle, Alexandrie sera la plaque
tournante de l'épidémie.

Activités commerciales

La route du Cap est découverte en 1498, les Portugais
attaquent les flottes arabes en mer Rouge :
en 1502, les caravelles d'Alvarez Cabral entraînent
la disparition des épices du marché alexandrin.
Malgré ces obstacles, Alexandrie reste parmi
les cinq postes de douane en Égypte, avec autorité
sur Rosette et Aboukir. Elle continue de connaître

« Alexandrie est
l'entrepôt d'un
commerce assez
considérable. Elle est
la porte de toutes
les denrées qui sortent
de l'Égypte vers
la Méditerranée, le ris
(*sic*) de Damiette
excepté. Les Européens
y ont des comptoirs,
où des facteurs traitent
de nos marchandises
par échanges. On y
trouve toujours des
vaisseaux de Marseille,
de Livourne, de Venise,
de Raguse, et des États
du Grand Seigneur ;
mais l'hivernage y est
dangereux. Le port
neuf, le seul où l'on
reçoive les Européens,
s'est tellement rempli
de sable que dans les
tempêtes les vaisseaux
frappent le fond
avec la quille ; de plus,
ce fond étant de roche,
les câbles des ancres
sont bientôt coupés
par le frottement,
et alors un premier
vaisseau chasse sur
un second, le pousse
sur un troisième,
et de l'un à l'autre
ils se perdent tous. »
Volney,
*Voyage en Syrie
et en Égypte*, 1789

une certaine prospérité liée au commerce maritime.

Dès 1517, les Vénitiens obtiennent de Sélim un renouvellement de leurs traités antérieurs, bientôt suivis par les Français et les Catalans : pas de capitation, pas d'impôts (notamment sur les églises), juridiction du seul consul sur ses nationaux, liberté de circuler et de vendre.

Les marchandises en jeu sont les mêmes qu'auparavant : soie, coton, poivre, gingembre, aromates, gomme arabique, natron, riz sont parmi les principaux produits exportés. Le début du XVIe siècle voit l'introduction depuis le Yémen du café dont l'usage se généralise au XVIIIe siècle, tout comme le tabac au début du XVIIe siècle, deux produits nouveaux qui ont un effet tonique sur l'activité économique, malgré des crises ponctuelles.

L'axe Istanbul-Izmir-Alexandrie constitue la principale route commerciale. Le trafic est tel que les bâtiments ottomans ne suffisent pas et que l'essentiel du commerce intra-ottoman est assuré par des navires européens. Les chiffres sont impressionnants : en 1782, 1 172 navires sont venus à Alexandrie, provenant principalement d'Istanbul, de Tunis, d'Izmir, de Salonique, mais aussi de villes d'Europe occidentale.

L'image d'Alexandrie ottomane est celle d'une cité réduite, mais relativement prospère. La concurrence de Rosette et de Damiette se fait sentir, mais aucun port d'Égypte n'arrivera à accueillir autant de bateaux qu'Alexandrie. Il n'est pas étonnant que ce soit par elle que Bonaparte ait choisi d'inaugurer son expédition égyptienne.

L'introduction du tabac au XVIIe siècle provoque quelques remous dans la société égyptienne, parfois même des rixes de la part des Maghrébins installés en Égypte. Mais l'usage se répand rapidement et l'on trouve quantité de pipes ottomanes dans les fouilles archéologiques du CEA-CNRS à Alexandrie.

Au XVIIIe siècle, les Mamelouks deviennent les véritables maîtres du pays après avoir infiltré l'armée et l'administration ottomanes. Mourad bey (ci-dessous) s'impose comme chef mamelouk avec la prise du Caire en 1776.

Mohamed Ali est l'auteur de la renaissance de l'Égypte. Cet Albanais sans scrupule et sans culture (il ne parle pas l'arabe et apprend à lire à un âge avancé) s'avère un stratège habile et un administrateur hors pair. Il mène son pays vers une suite de succès militaires qui fait vaciller le pouvoir du sultan d'Istanbul. Son souci d'ouverture vers l'Europe assurera la formation d'une classe d'ingénieurs qui bâtira l'Égypte moderne.

CHAPITRE 4

ALEXANDRIE COSMOPOLITE

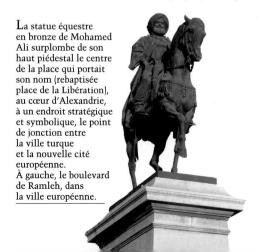

La statue équestre en bronze de Mohamed Ali surplombe de son haut piédestal le centre de la place qui portait son nom (rebaptisée place de la Libération), au cœur d'Alexandrie, à un endroit stratégique et symbolique, le point de jonction entre la ville turque et la nouvelle cité européenne. À gauche, le boulevard de Ramleh, dans la ville européenne.

Les trompettes de Bonaparte

Quand les habitants d'Alexandrie voient se profiler à l'horizon les voiles des 280 bateaux de la flotte de Bonaparte, ils n'en croient pas leurs yeux. 50 000 hommes menés par pas moins de 32 généraux, 1 200 chevaux et 170 canons débarquent

le soir du 1er juillet 1798 à une quinzaine de kilomètres à l'ouest d'Alexandrie. Ils marchent pendant la nuit jusqu'aux murailles et prennent la ville après quelques heures de combats contre les faibles troupes ottomanes et les Bédouins des environs appelés à la rescousse. Du côté français, une trentaine de tués et deux généraux blessés.

Mais, bien vite, quelle déception devant l'état de l'ancienne capitale de l'Égypte! Bonaparte ne s'y attarde pas et met rapidement ses troupes en marche forcée vers Le Caire : c'est là qu'est le pouvoir auquel il doit s'affronter.

Le but de l'expédition, préparée avec soin, est resté secret : les soldats ont cru qu'ils cingleraient

Bonaparte débarque sur la côte, à proximité d'Alexandrie, malgré une mer forte. Il est pressé de s'emparer de la ville. Dès le lendemain, il entre dans Alexandrie et rend hommage au chef militaire Mohamed el-Koraïm pour sa bravoure : il lui offre un sabre (à droite) et le confirme dans sa charge de gouverneur.

vers Chypre et ce n'est que la veille du débarquement que Bonaparte fait lire cette déclaration à bord de tous les navires : « Gloire au Sultan, gloire à l'armée française, son amie ! Malédiction aux Mamelouks et bonheur au peuple d'Égypte ! »

Officiellement, on veut délivrer les Égyptiens des Mamelouks pour rendre la suzeraineté du pays à la Sublime Porte. Certes, une poignée de marchands français avaient été malmenés par les Mamelouks et le consul Magallon en avait fait les frais. Les Mamelouks Ibrahim et Mourad bey avaient mis le pays en coupe réglée et n'obéissaient plus au sultan d'Istanbul. Celui-ci avait lancé une opération militaire pour récupérer le pays, mais il avait échoué. Était-ce une raison suffisante pour engager une si forte opération ? Certes non, comme le montre l'Empire ottoman qui condamne l'intervention et déclare le *jihad* contre la France dès le 9 septembre.

À l'arrivée de Bonaparte, les puissantes murailles d'Alexandrie, qui avaient tant impressionné les premiers voyageurs, n'enserrent plus que des jardins, la ville s'étant déplacée vers l'isthme qui s'est formé de part et d'autre de l'ancien Heptastade.

Les causes de l'expédition font encore couler beaucoup d'encre : Bonaparte aurait voulu suivre les pas d'Alexandre le Grand et remonter l'Asie pour prendre à revers les adversaires de la République ;

on aurait voulu couper la route des Indes aux Anglais ; le Directoire aurait ainsi saisi l'occasion de se débarrasser provisoirement de ce jeune général un peu trop encombrant. L'expédition connaîtra de nombreux déboires, mais elle marquera profondément l'histoire de l'Égypte et, plus particulièrement, celle d'Alexandrie.

Laissons Bonaparte s'installer au Caire, Desaix poursuivre Mourad bey en Haute Égypte (il ira jusqu'à Philae), l'armée entreprendre une campagne meurtrière en Syrie, à la chasse d'Ibrahim bey. Pendant ces trois ans, Alexandrie redevient une place forte et l'on construit le fort Napoléon, le fort Cafarelli, le fort Crétin qui marquent encore le paysage de la cité moderne. La ville ne peut être prise par l'armée britannique qui rôde, mais les combats font rage dans les environs immédiats.

Aboukir, à une trentaine de kilomètres à l'est d'Alexandrie, ne connaît pas moins de trois batailles. La première est navale, lorsque, dès le 1er août 1798, l'amiral Nelson retrouve enfin la trace

Bonaparte avait engagé cent soixante savants dans son expédition. Leur découverte de l'Égypte donna naissance à une magnifique publication illustrée, la *Description de l'Égypte*, dont le premier des vingt tomes fut publié en 1810.

Ci-dessous, un élément en bronze du gouvernail du bateau le *Dauphin royal*, rebaptisé l'*Orient* à la Révolution : c'est le vaisseau amiral sur lequel Brueys avait embarqué et dont les éléments ont été retrouvés par des fouilles sous-marines engagées à Aboukir en 1984.

de la flotte de Bonaparte que l'amiral Brueys croyait avoir mise à l'abri dans la baie entre un îlot et la côte. C'était compter sans la hardiesse de Nelson et de ses marins bien mieux expérimentés que les Français : ils passent entre la côte et les navires français à l'ancre. C'est un massacre ; à part quelques bateaux qui parviennent à s'échapper, toute la flotte de Bonaparte est envoyée par le fond.

L'année suivante, le 25 juillet 1799, une deuxième bataille s'engage à Aboukir : à la tête de ses troupes, Bonaparte remporte une éclatante victoire sur les Ottomans, deux fois plus nombreux. Pourtant, un mois plus tard, le général en chef s'embarque presque furtivement à Alexandrie vers Toulon, et laisse des généraux désemparés. Kléber assure la relève, mais, après son assassinat au Caire, la direction des opérations revient au général Menou, bien plus indécis. Il perd la troisième bataille d'Aboukir contre le général anglais Abercromby, sous les portes d'Alexandrie, le 21 mars 1801. La ville capitule le 2 septembre et le 20 du même mois, le corps expéditionnaire français est obligé de quitter l'Égypte, abandonnant toutes les antiquités rassemblées au cours de ces trois années.

Point de départ de l'expédition militaire, Alexandrie avait vu durant trois ans fleurir le drapeau tricolore sur ses monuments. C'est par elle aussi que l'aventure prend fin, de façon lamentable, avec le rembarquement du corps expéditionnaire : si Alexandrie a déçu par sa petite taille, elle n'en est pas moins restée la porte du pays vers la Méditerranée. Cette importance stratégique de la ville ne sera pas oubliée par les gouvernants des décennies qui vont suivre.

Débarquée à Aboukir, l'armée anglaise l'emporte, le 21 mars 1801, sur les troupes françaises menées par le général Menou. On voit ici Abercromby, le général anglais qui perdra la vie au cours de sa bataille victorieuse. Par la suite, le rôle des Anglais deviendra primordial dans l'histoire de l'Égypte : certes, ils seront repoussés par Mohamed Ali en 1807, mais le souci des Britanniques de contrôler la Méditerranée et, à partir de 1869, la route des Indes *via* le canal de Suez, les conduira à investir l'Égypte et à prendre le contrôle du pays, essayant de conserver une emprise sur les choix de ses différents régimes jusqu'à la nationalisation du canal de Suez en 1956.

Grâce à leurs travaux, les quelques savants de l'expédition restés à Alexandrie font connaître la ville avec une richesse d'informations exceptionnelle. Deux cartes sont levées, l'une donnant le détail de la ville, parcelle par parcelle, l'autre, à une moindre échelle, en comprenant aussi les abords. Les planches de la *Description* montrent les plans des principaux monuments de la cité, la muraille et le fort Qaitbay (page de gauche), de mosquées, de maisons, de citernes. Sont également étudiés et illustrés la population, ses mœurs et ses ressources, son artisanat (ci-contre, un marin dessiné par Conté, membre de l'expédition). Les antiquités ne sont pas oubliées, avec les Aiguilles de Cléopâtre – ces deux obélisques érigés par Auguste pour marquer l'entrée du Césaréum, le temple du culte impérial –, la colonne Pompée ou des hypogées de la Nécropolis. Des pages et des planches entières sont consacrées aux trouvailles exhumées par des fouilles : petits objets – terres cuites, scarabées, etc. –, mais aussi statues de marbre de Marc Aurèle et de Septime Sévère trouvées près de la mer et qui sont aujourd'hui conservées au British Museum.

Mohamed Ali et la renaissance d'Alexandrie

Mohamed Ali est un Albanais de Kavala, petite ville ottomane située à 150 kilomètres au nord-est de Salonique. Enrôlé dans les troupes ottomanes, il participe à la bataille d'Aboukir en 1799. Après le départ des Français, la lutte s'envenime entre pouvoir ottoman et seigneuries mameloukes. Mohamed Ali tire son épingle du jeu : à la tête du bataillon albanais, il prend Le Caire aux Mamelouks en 1804 ; l'année suivante, il est investi comme pacha par Istanbul et, en 1807, il défait les Anglais à la bataille de Rosette, ruinant leur tentative de reconquête de l'Égypte. Enfin, en 1811, il massacre les quatre cents chefs mamelouks conviés à un festin dans son palais de la Citadelle du Caire.

Les mains libres, Mohamed Ali entreprend une politique méditerranéenne dont les rapides succès inquiètent les puissances européennes et le pouvoir turc qu'il parvient même à ébranler. En outre, il réorganise l'administration égyptienne, nationalise les terres et se lance dans une politique de grands

Mohamed Ali recevait volontiers ses hôtes officiels dans son palais de Ras el-Tin, construit en 1817. On le voit ici accueillir une délégation anglaise avec, au centre, le peintre David Roberts. La grande baie donnant sur le port ouest et ses nombreux bateaux rappelle le souci du souverain d'ouvrir l'Égypte vers l'Occident.

À droite, une gravure du harem de Ras el-Tin, d'après un daguerréotype de 1839 dû au peintre Horace Vernet et réalisé en présence de Mohamed Ali, fasciné. « C'est l'œuvre du diable ! », s'exclame-t-il.

travaux, d'irrigation et de construction de barrages sur le Nil. L'Égypte est à nouveau menée par un pouvoir central, très personnalisé, voire tyrannique.

Dans son admiration pour Bonaparte et pour la France, le pacha fait appel à des ingénieurs pour ses grands travaux et à des militaires français pour former ses armées; il envoie des étudiants égyptiens dans les grandes écoles parisiennes. Tout le pays connaît un développement inattendu qui fera parler d'une « renaissance de l'Égypte ».

Alexandrie n'avait guère connu d'amélioration sous l'occupation française : les rues étaient restées des chemins de terre. Avec Mohamed Ali, à partir des années 1820, on assiste à l'émergence d'une véritable communauté urbaine.

Pour bien montrer son attachement à la ville, Mohamed Ali y fait construire en 1817 un palais, à l'extrémité ouest de l'ancien îlot de Pharos. Dominant la mer depuis ses baies, Mohamed Ali renoue avec cet intérêt particulier pour la Méditerranée qui avait complètement disparu chez les gouvernants de l'Égypte depuis l'époque médiévale. Il se donne bientôt les moyens de cette nouvelle politique et Alexandrie, où il séjourne de plus en plus longtemps, en est la pièce maîtresse. Sans tarder, des grands travaux sont lancés : l'ingénieur Pascal Coste est chargé du curage du canal. Sur cet immense chantier qui rassemble jusqu'à deux cents mille fellahs astreints à la corvée, il reprend le parcours du canal antique et l'amène jusqu'à la branche de Rosette. D'une profondeur de 2,70 mètres, il est inauguré, au nom du sultan Mahmoud, en 1821, permettant à la ville de jouir, pour la première fois depuis plus de cinq siècles, de l'eau potable de manière régulière et d'une voie de navigation pérenne qui amène les bateaux jusque dans le port ouest.

L'ingénieur marseillais Pascal Coste fut choisi par Mohamed Ali pour de grands travaux publics, dont la remise en eau navigable du canal Mahmoudiya, de façon à assurer les liaisons entre Le Caire et Alexandrie ainsi que l'approvisionnement régulier de celle-ci en eau potable (ci-dessous, son projet d'écluse entre le canal et le Nil). Coste réalisa également les vingt tours du télégraphe Alexandrie-Le Caire qui permettait au pacha de recevoir en quinze minutes les nouvelles d'une ville à l'autre.

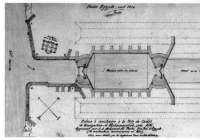

Ecluse à construire à la Tête du Canal de Navigation-el Mahamoudièh, près Atfé. Approuvé par S.A. Mohamet-Ali-Pacha, Vice Roi d'Égypte. (les constructions commencèrent en 1823.)
A.B.C. murs établis par les Ingénieurs Turcs en Juin Juillet 819.

Les liaisons avec le reste du pays et la capitale en sont grandement facilitées et les délais réduits : au lieu de la semaine nécessaire auparavant pour gagner Le Caire, trois jours suffisent désormais.

Mohamed Ali n'imagine pas l'Égypte vivre en paix et s'engage dans la construction de murailles, reprenant le tracé de l'enceinte toulounide. Ce travail va s'avérer obsolète : le colonel Galice bey avouera qu'il faut au moins 25 000 hommes pour défendre la muraille, mais que ce n'est pas son problème ! Dès 1860, on commence à procéder à son démantèlement et il n'en reste plus aujourd'hui que quelques traces du côté des jardins de Shallalat.

La stratégie méditerranéenne poussa Mohamed Ali à s'intéresser à l'agrandissement de la capacité portuaire d'Alexandrie. En 1829, il confie aux ingénieurs français Cerisy et Mougel l'aménagement d'un grand bassin dans le port ouest

qui, après plus d'un millénaire d'interdiction, est rouvert aux bateaux chrétiens. Parallèlement, il entreprend la construction de la première flotte égyptienne. L'arsenal et la flotte occuperont jusqu'à 20 000 hommes.

Sur les rives du canal Mahmoudiya sont bâties des villas de riches Alexandrins, dont une résidence royale (le Palais n° 3). On pouvait y jouir du calme champêtre et emprunter une célèbre promenade tout simplement nommée les « Champs-Élysées ».

Ce panorama, dessiné par Pascal Coste vers 1820, témoigne de la fréquentation du port. À gauche, le palais de Mohamed Ali, la muraille sur sa droite, les collines de Kôm el-Dick et de Kôm el-Nadura, la colonne Pompée et le fort Qaitbay à droite.

Le port d'Alexandrie se développe constamment au cours du XIXᵉ siècle. 900 navires y entrent au cours de l'année 1822; deux ans plus tard, le chiffre monte à 1 290, pour atteindre 2 000 bâtiments dans les années 1860 (ci-contre, le port, vers 1870).

Si Mohamed Ali va bientôt déchanter dans ses visées stratégiques (défaite de la flotte ottomane et égyptienne à Navarin en 1827), il est loin d'imaginer l'accroissement des échanges commerciaux que ses transformations vont rapidement provoquer : ainsi, le nombre des bateaux qui accostent à Alexandrie passe de 1 092 en 1830 à 1 607 en 1850 pour atteindre 2 137 en 1880 et jusqu'à 6 700 en 1905, avec plus de 4 millions de tonneaux.

Ces échanges s'accompagnent d'une augmentation considérable de la population, avec des immigrants attirés par ce nouvel eldorado : de 13 000 en 1821, elle passe à 60 000 en 1838, à 180 000 en 1860, à 232 000 vingt ans après pour arriver à 573 000 en 1927. Les Égyptiens accourent

« J'ai compté jusqu'à vingt et un pavillons français ; la marine sarde se fait remarquer dans le port d'Alexandrie comme dans tous les autres ports de la Méditerranée ; nous avons vu beaucoup de navires grecs, des navires de Livourne, de Trieste, de Venise, de Malte, les bâtiments du Pacha. [...] La plupart des navires européens viennent charger du coton, des fèves et d'autres productions de l'Égypte ; ils apportent du fer, du cuivre, des draps, des bois de construction pour les vaisseaux, des armes et des habillements

de tout le pays. Les étrangers, qui étaient une poignée à l'arrivée de Mohamed Ali, représentent peu à peu une part non négligeable des habitants de la ville : 14,5 % en 1897, 19 % en 1907, comme nous l'apprennent les recensements. Celui de 1907 dénombre 359 911 Égyptiens, 25 393 Grecs, 17 860 Italiens, 10 658 Britanniques et 8 556 Français.

pour les soldats, toutes sortes de machines et d'ustensiles dont l'industrie manufacturière du Pacha peut avoir besoin. **»**

J. Michaud,
historien, 1829

La ville européenne

Mohamed Ali encourage les étrangers, surtout
les sujets ottomans grecs et syriens, à se fixer en
Égypte. Il leur donne des quartiers entiers de la ville,
à l'intérieur des murailles désertées. Ces quartiers
d'Attarine et Mancheyya compteront entre 30
et 40 % d'étrangers. C'est là que naîtra la ville
européenne, avec la place des Consuls créée en 1834.
Dessinée par l'Italien Mancini, cette ancienne place
d'armes fut transformée en place-jardin
en 1860, sous le nom de place Mohamed
Ali, avec en son centre une statue
en bronze du Pacha à cheval.

Francesco Mancini dirige l'Ornato,
un comité chargé de l'urbanisme à partir
de 1834. Une ville avec des grandes
avenues tirées au cordeau et de vastes
places voit peu à peu le jour, s'étendant
progressivement vers l'est. Là s'installent
les riches marchands grecs, dans
un quartier parsemé de grandes villas
entourées de jardins. L'extension fait
sauter les murailles et investir les
quartiers périphériques vers Roushdy

Les étrangers
pouvaient organiser
des manifestations
communautaires
à travers la ville :
ici, la colonie
française fête
le 15 août 1866
et se rend en procession,
tous corps constitués,
vers l'église latine.

et Ramleh. Les distances commencent à devenir importantes et poussent à l'aménagement d'une voie ferrée urbaine. La gare de Ramleh est construite en 1860.

En 1890 est créée la Municipalité d'Alexandrie : y figurent des notables égyptiens, souvent d'origine ottomane, de grandes familles coptes et des représentants des communautés étrangères. Collectant les impôts locaux, les quatorze commissions municipales règlent la vie citadine, dans le domaine des eaux, du drainage, du pavage des rues, de l'urbanisme en général (port, entrepôts, aménagement de la corniche à partir de 1905). L'expérience, que les autres villes du pays envient, durera un demi-siècle jusqu'à ce que la corruption et la confusion des pouvoirs la fassent disparaître en 1935.

Les architectes sont principalement italiens et grecs : ils se nomment Avoscani, Lasciac, Loria, Paraskevas. Ils donnent à certains quartiers d'Alexandrie un cachet napolitain. Les goûts évoluent et on hésite entre l'Art Déco, le néo-classique (villa des cotonniers grecs), le néo-byzantin (immeubles de la corniche), le néo-pharaonique (école polytechnique), le néo-Renaissance, l'architecture fasciste coloniale (école italienne) : la construction est bien souvent un moyen d'expression nationale. Certains notables font appel à des architectes européens renommés comme Auguste Perret dont une villa subsiste encore.

« La place dite des Consuls ferait l'ornement de nos plus grandes villes. Cette place est d'ailleurs un grand carré long, tout entouré de beaux hôtels consulaires, et de maisons de riches négociants européens ; quatre rangées d'arbres forment, au centre, une magnifique avenue ; deux bassins, avec leurs jets d'eau, rafraîchissent aux extrémités cette belle promenade ; enfin le vaste édifice de la banque égyptienne complète, au fond, la perspective. »
C. David, 1865

Alexandrie est un conservatoire des styles architecturaux, comme en témoignent ces immeubles néo-byzantins ou néo-vénitiens, œuvre de l'architecte italien Loria dans les années 1920.

À la fin du XIXᵉ siècle, la rue Fouad (page de gauche), la place des Consuls avec la statue de Mohamed Ali (ci-contre), la rue Chérif (ci-dessous) sont au centre des affaires dans la ville européenne. Parmi les fiacres circulent des Alexandrins dans un mélange de vêtements européens et de *galabeyyas*. La coiffure commune est le tarbouche (le fez égyptien), de rigueur pour les fonctionnaires jusqu'en 1952.

Le statut de l'étranger

Les étrangers s'adonnent principalement au commerce, à l'importation des machines pour l'industrie et les grands travaux. On exporte des produits de la terre, surtout lorsque le coton prend une importance accrue, au moment de la guerre de Sécession aux États-Unis, en 1860 : le tassement des ventes américaines provoque un boom en Égypte, suivi d'une chute.

Les étrangers sont aussi employés dans l'administration et dans les tribunaux mixtes qui sont mis en place pour juger les conflits entre les ressortissants étrangers et la population locale. Quant aux affaires opposant deux étrangers, elles sont traitées directement par les consuls dont l'importance reste considérable.

Les étrangers ne paient pas d'impôts et leurs demeures sont inviolables, ce qui pose parfois des problèmes, notamment lorsqu'ils refusent de s'acquitter de leurs loyers auprès de propriétaires locaux. Les postes étrangères fleurissent un peu partout : anglaise, allemande, autrichienne, italienne et française ; inaugurée en 1836, celle-ci imprime des cachets puis des timbres français qui porteront le nom de la ville jusqu'en 1931.

Le trafic des antiquités est longtemps une source de profit. Ainsi, Drovetti, consul de France à partir de 1804, s'adonne à cette activité lucrative avec l'appui actif de Mohamed Ali. Il faut avouer que ce dernier ne s'intéresse pas du tout au patrimoine

Alexandrie, place d'affaires : les trois lettres à destination de Brême, de Paris et de Gênes sont affranchies de timbres de la poste française d'Alexandrie. Elles témoignent de l'intensité et de la diversité des activités commerciales, surtout d'importations de toute l'Europe par les étrangers installés dans la ville. Le coton est la matière première qui, sur les docks emploie le plus de travailleurs.

« Deux ou trois puissantes presses hydrauliques en fer, maniées par des espèces de géants nègres, saisissent le coton, le compriment, le réduisent en balles qui se cerclent de fer, puis il roule jusqu'au quai où les navires l'attendent pour l'emporter. »
P. Berger, 1894

Fabrique de Cigarettes Egyptiennes
COUTARELLI FRÈRES
FONDÉE EN 1890
CHAMPS ELYSÉES — ALEXANDRIE — MOHARREM BEY
Téléphones : Direction 3190 • Fabrique 5309

égyptien : ne propose-t-il pas à l'ingénieur Linant
de Bellefonds de démonter les Pyramides pour
construire un barrage sur le Nil ? Il faut que le
Français lui démontre que cette entreprise coûterait
plus cher que l'extraction des blocs de pierre d'une
carrière pour qu'il renonce à son projet… Alexandrie
souffre de ce manque d'intérêt et se voit bientôt dépouillée

de ses quelques rares antiquités remarquables :
les deux obélisques dénommés Aiguilles de
Cléopâtre sont offerts par le Pacha aux Anglais
et aux Américains ; l'un part pour les bords de
la Tamise en 1877 et le second vers New York
en 1879.

Les communautés

Les étrangers se regroupent par nationalités : les
Grecs, les Italiens, les Arméniens, les Syro-Libanais.
Ils se reconnaissent à leur passeport, à leur langue,
à leur religion. En marge des autorités consulaires,
chaque communauté, soucieuse de préserver
ses intérêts et d'aider les plus démunis, élit ses
représentants, choisis parmi les plus riches et les plus
influents. La communauté possède des biens fonciers,
parfois des quartiers entiers dont les revenus servent
aux entreprises communes (écoles, lieux de culte,
hôpitaux, théâtres, clubs, journaux)
et aux plus défavorisés (orphelinats,
maisons de repos).

Les villas témoignent du goût et de la richesse de quelques Alexandrins : en haut à gauche, l'école de filles offerte à sa communauté par le mécène grec Averoff ; au-dessous, salle de bains d'une villa d'une princesse royale égyptienne, décorée de carreaux et de vitraux de Nancy ; les trois autres photographies montrent la villa Cordahi, construite à l'occasion de la visite du Kaiser en 1901 (escalier, salle à manger et salon oriental).

« Les longues et magnifiques pièces de réception avaient été percées d'alcôves et de recoins inattendus pour augmenter leur capacité déjà considérable et permettre aux quelque deux ou trois cents invités qui s'y pressaient parfois de pouvoir prendre part à des dîners raffinés et dépourvus de sens, tandis que leur hôte était perdu dans la contemplation d'une rose posée sur une assiette vide devant lui. »

Lawrence Durrell,
*Le Quatuor
d'Alexandrie*, 1962

Nombre de sujets ottomans – Syro-Libanais, Juifs, Arméniens – sont, par leur fonction ou pour les services rendus, attachés à une communauté et protégés. C'est un avantage recherché, car il permet d'échapper à l'impôt. Certaines communautés connaissent des situations pour le moins insolites. Ainsi, les Italiens comptent parmi eux de nombreux Juifs. À l'annonce de l'incendie des archives de Livourne, beaucoup se sont présentés au Consulat général d'Italie d'Alexandrie pour faire « rétablir » de nouveaux papiers. En un tour de main, ils se sont retrouvés Italiens ! Lorsque Mussolini envoie un consul fasciste pour reprendre en main ses compatriotes à Alexandrie, il est fort surpris de trouver en face de lui un front juif bien peu enclin à applaudir aux mesures antisémites du Duce !

« **L'Alexandrin va de son bureau à la Bourse, ne songe qu'à ses combinaisons financières […]. Dieu Moloch, la Bourse ne compte plus ses victimes.»**
Fernand Leprette, 1939

La ville turque

Dans la péninsule, la ville turque continue à vivre, avec ses ruelles étroites et ses étages à encorbellement. La population y est quasi exclusivement égyptienne, avec une densité qui dépasse 50 000 habitants au kilomètre carré (contre 20 000 dans la ville européenne). L'artisanat continue, mais les impositions sont lourdes. Il y a deux villes qui se côtoient, mais souvent s'ignorent : peu d'Européens s'aventurent dans la ville turque, peu savent même qu'elle existe ; les voyageurs en mal d'exotisme ne voient à Alexandrie qu'une ville

La communauté juive possédait une demi-douzaine de synagogues, un hôpital israélite, des sociétés savantes et philanthropiques, des écoles de communauté et des écoles laïques, comme les écoles gratuites fondées en 1885 par le baron Behor de Menasce (ci-dessous).

ÉCOLES GRATUITES ISRAÉLITES
FONDATION DE MENASCE

européenne et ont hâte de prendre le chemin du Caire. Cela explique que les peintres aient laissé tant d'œuvres sur la capitale et si peu sur Alexandrie.

Le bombardement de 1882

Creusement du Canal de Suez (inauguré en 1869), grands travaux du Caire... fêtes fastueuses, les

débordements financiers de Ismaïl Pacha, khédive d'Égypte (1863-1879), amènent sa déposition et son exil à Istanbul. L'Égypte est en faillite. En 1876, un condominium franco-britannique se charge de contrôler les finances égyptiennes, provoquant la montée d'un nationalisme qui sera canalisé par le général Orabi Pacha. Devenu ministre de la défense, celui-ci s'oppose au contrôle étranger et arme les forts d'Alexandrie. La riposte est immédiate : la flotte anglaise bombarde la ville, détruisant avec précision le fort Qaitbay et la place des Consuls.

La ville turque, installée en 1517, a peu à peu occupé tout l'isthme au nord de la cité médiévale. Les ruelles semblent encore rétrécies par les étages à encorbellement et les façades en quinconce. Les petits métiers y prolifèrent : échoppes, souks et ateliers d'artisans. Là habite surtout la population égyptienne à laquelle se mêlaient des Juifs et des Grecs. La vie grouillante et colorée, sentant les épices et le pastourma, avec les cris des voituriers à bras et les étals qui barrent la chaussée, livre un des aspects d'Alexandrie, à deux rues de la ville européenne qui paraît soudain si lointaine.

À la suite d'émeutes (ci-dessus, exécution pendant les révoltes de 1881), la flotte anglaise bombarde Alexandrie en 1882. En première ligne, le fort Qaitbay est presque totalement détruit par les canons de la Navy (ci-contre, la porte d'entrée). La place Mohamed Ali et ses environs immédiats (en bas, la poste italienne) ne sont plus que ruines. Ironie de l'histoire, le consulat anglais (en haut, à gauche) n'a pas été épargné. S'ensuivent des échauffourées, la population égyptienne lynchant quelques étrangers, pillant et brûlant plusieurs bâtiments. La répression anglaise est sévère, l'armée d'Orabi est battue dans le Delta et le gouvernement est obligé de dédommager les propriétaires des bâtiments détruits, ce qui donne lieu à des abus notoires. La place est reconstruite avec éclat.

La redécouverte du passé alexandrin

Le rendez-vous d'Alexandrie avec l'archéologie s'est mal passé. En effet, la croissance rapide de la ville de Mohamed Ali a précédé le développement des grandes missions archéologiques en Méditerranée : le centre-ville, correspondant au cœur de la ville antique, a été urbanisé dès les années 1830-1850 (et désormais figé pour un siècle et demi) alors que la première institution de fouilles en Grèce, l'École française d'Athènes était inaugurée en 1846.

Certes, il y eut bien quelques tentatives, notamment par D. G. Hogarth, envoyé par la British School of Archaeology à Athènes, fondée en 1885. Mais, que restait-il à fouiller ? En 1894, il s'enfonça dans les déblais de la colline de tessons de Kôm el-Dick et, par plus de 10 mètres de profondeur, découvrit des couches romaines tardives… Déjà, en 1889, le célèbre Heinrich Schliemann lui-même, qui voulait mettre le Tombeau d'Alexandre au nombre de ses découvertes, après ses succès retentissants à Mycènes et à Troie, connut la même désillusion.

Dès lors, les grandes missions abandonnèrent Alexandrie, lançant leurs troupes d'archéologues vers l'Asie Mineure et les autres pays du Proche-Orient, qui semblaient plus prometteurs.

Les inconvénients pour la recherche archéologique de cet urbanisme précoce ne touchaient pas la périphérie, d'autant que Mohamed Ali empêchait tout habitat extra-muros : les efforts

Dans les années 1890, Alexandrie connut quelques tentatives de fouilles archéologiques d'envergure, mais le centre-ville était déjà bâti et la mission allemande de E. von Sieglin ne put porter que sur les nécropoles. Le Musée gréco-romain inauguré en 1892 rassembla des dons de notables alexandrins. Il fut ensuite enrichi par les résultats des fouilles menées par les trois archéologues italiens, Giuseppe Botti, Evaristo Breccia et Achille Adriani, de 1892 à 1963.

Athènes 4 janvier 1889.

Je partage parfaitement votre opinion que le Sôma doit se trouver dans les environs immédiats de la Mosquée du prophète Daniel, laquelle couvre probablement le site exact du tombeau d'Alexandre. Très vraisemblablement le Mnêma ou tombeau de Cléopâtre et de Marc Antoine faisait aussi partie du Sôma.

H. Schliemann

Le fondateur du Musée gréco-romain, G. Botti (au premier plan, coiffé d'un tarbouche), fit d'importantes découvertes : les catacombes de Kôm el-Chougafa, le Sarapeion, etc. Avec ses successeurs, E. Breccia et A. Adriani, ils rédigèrent quantité de rapports et de périodiques d'une grande qualité qui servent de référence, dont le Bulletin de la Société royale d'Archéologie d'Alexandrie, série qui est encore suivie de nos jours.

Le Musée gréco-romain d'Alexandrie conserve dans ses archives les demandes de permis de fouilles à la recherche du Tombeau d'Alexandre. Ici, un extrait d'une lettre tirée de la correspondance que Heinrich Schliemann échangea avec le directeur du musée et les savants locaux : « Je partage parfaitement votre opinion que le Sôma doit se trouver dans les environs immédiats de la mosquée du prophète Daniel, laquelle couvre probablement le site exact du Tombeau d'Alexandre. Très vraisemblablement le Mnéma ou Tombeau de Cléopâtre et de Marc Antoine faisait aussi partie du Sôma. »

des archéologues se portèrent donc sur les nécropoles où ils entrèrent en compétition avec les carriers. Ainsi fut engagée la brillante mission de l'Allemand von Sieglin, avec ses publications exemplaires sur les catacombes de Kôm el-Chougafa ou son admirable volume sur les nécropoles.

Mais, à part cette contribution exceptionnelle, l'archéologie alexandrine allait être confinée à des recherches menées exclusivement par les savants locaux. La qualité scientifique n'en fut pas moindre car il s'agissait de personnages de grande qualité, mais les moyens mis en œuvre furent plus modestes. Déjà, dès 1866, une carte de la ville antique avait été dressée par Mahmoud el-Falaki, agissant sur ordre du khédive Ismaïl. Celui-ci voulait obliger son ami Napoléon III, alors engagé dans une biographie de César, pour laquelle il lui fallait camper les lieux de la guerre d'Alexandrie et, grâce aux près de deux cents sondages de l'ingénieur, l'archéologie

alexandrine disposa bientôt d'une carte précise pour les recherches futures.

Celles-ci seront dues à des érudits du cru,

le médecin Neroutsos, curieux de topographie et d'épigraphie, puis à un Italien, Giuseppe Botti, qui réussit à décider la Municipalité à fonder le Musée gréco-romain en 1892. Ses successeurs à la direction de cet établissement, les Italiens Evaristo Breccia et Achille Adriani, illustreront pendant plus d'un demi-siècle, par une activité inlassable et de nombreuses publications de référence, ce sauvetage du patrimoine alexandrin.

La vie culturelle de l'intelligentsia alexandrine s'exprima à travers des journaux et des revues de parution plus ou moins éphémère, en italien, grec, français et anglais dont les titres proliférèrent à la fin du XIXᵉ et dans les premières décennies du XXᵉ siècle.

Une mosaïque culturelle

Le développement de la communauté urbaine entraîna l'apparition d'activités récréatives qui se situèrent à plusieurs niveaux sociaux : elles pouvaient prendre place à l'intérieur des communautés, avec la spécificité de la langue et de la religion ou bien au croisement des communautés, dans une sorte de partage supérieur

auquel participait l'intelligentsia de la ville,
égyptienne, ottomane, étrangère musulmane, juive
et chrétienne. À côté, se développa une culture
égyptienne, souvent ignorée par les étrangers,
qui trouva un éclat particulier dans la musique,
la peinture, la sculpture, l'architecture, le cinéma
et la littérature.

❝Il y a deux clubs
principaux, le club
Khédivial et le club
Méhémet-Ali.
Ces clubs offrent un
confort remarquable.
Ils sont richement
et luxueusement
installés, possèdent
salles de jeux,

Langue et religion regroupaient culturellement
les Alexandrins en communautés dont le
développement était assuré par des gouvernements
étrangers ou par des mécènes. Ainsi, la France
subvenait aux besoins du Lycée français alors que
les riches cotonniers comme les Tossitsa, Salvago,
Averoff ou Benaki finançaient sur leurs propres
fortunes des écoles grecques : coexistaient les écoles
allemandes, anglaises, arméniennes, françaises,
italiennes, juives, etc.

Le théâtre Salvago était l'un de ces lieux de
récréation culturelle
de la communauté
grecque, comme le sera
l'Alliance française. Les
talents sont encouragés
et appréciés au sein de la communauté,
exprimant ses soucis et ses espoirs.
Ainsi, on assiste à l'éclosion de toute
une littérature, sous forme de
journaux, d'innombrables périodiques,
littéraires, historiques, politiques
– certains de qualité –, dans toutes
les langues parlées à Alexandrie :

arah Bernhardt

à Alexandrie

de billard, de café, de
restaurant, de lecture,
de correspondance, de
conversation. Ils ont
chaque matin les
dépêches politiques
de la veille (ci-dessus,
l'annonce d'une
victoire des Alliés en
1916) et des dépêches
de Bourse. Ils sont d'un
secours précieux et
d'une utilité rare pour
tous ceux qui veulent
être renseignés sur
les arts, les sciences,
le mouvement littéraire
et dramatique,
les événements
importants,
les questions du jour,
pour tous ceux enfin
qui veulent lire.**❞**
Louis Malosse,
1896

les journaux publiés dans la ville, comme *Le Phare d'Alexandrie, La Réforme* ou le *Tachydromos* sont pléthore, que ce soit en grec, en arménien, en anglais, en français… Les conférences sur des sujets historiques et littéraires sont innombrables, les beaux-arts sont représentés au sein d'académies multiples.

Né à Istanbul, éduqué à Londres, Constantin Cavafy (1863-1933), appartient à la communauté grecque d'Alexandrie. Modeste employé à la

Un creuset littéraire

Des talents dépassent la norme communautaire, mais il leur faudra souvent le recul de l'histoire pour être reconnus en dehors du cercle national : certes, le poète Constantin Cavafy fait exception et son art raffiné fut célébré aussitôt – dès 1917 – par Edward Morgan Forster qui traduisit plusieurs de ses poèmes ou par Lawrence Durrell, trente ans plus tard, avant de connaître la grande popularité qui est la sienne aujourd'hui. « Un tel écrivain, écrivait pourtant Forster, ne pourra jamais être populaire : il vole à la fois trop lentement et trop haut. […] Il a la force (et, bien sûr, les défaillances) du reclus, de celui qui, même s'il ne craint pas de

Compagnie des Eaux, il publie ses premiers poèmes sous forme de feuillets volants imprimés à ses frais, qu'il distribue à ses amis. Sa poésie prend souvent Alexandrie pour cadre : la ville antique, non pas dans sa pleine gloire mais dans des périodes de décadence ou de défaite (« Les dieux ont abandonné Antoine ») et la ville moderne, comme dans ces « Jours de 1901 » (ci-dessus).

biais » *(Pharo*le monde, se tient toujours par rapport à lui, légèrement *s et Pharillon*, 1953). Stratis Tsirkas raconte dans *Cités à la dérive* les clivages de la communauté grecque durant la Seconde Guerre mondiale, avec la lutte entreprise par les communistes à l'intérieur des troupes grecques qui participèrent à la bataille d'el-Alamein, tandis que le roi et le gouvernement helléniques avaient quitté Athènes occupée par les Allemands pour se réfugier au Caire. Giuseppe Ungaretti évoque dans ses premiers poèmes sa vision du désert et de la ville. Quant à Fausta Cialente, elle évoque la vie dans la communauté fasciste italienne avant la Seconde Guerre mondiale. Nul doute qu'Alexandrie fut un creuset littéraire vivace, à la fois par l'atmosphère intellectuelle à la croisée de communautés, par la qualité de l'enseignement et par le sentiment historique d'habiter une telle cité.

Les étrangers, les vrais, c'est-à-dire ceux qui sont de passage, pour quelques mois ou quelques années, ont parfois le talent d'exprimer l'atmosphère particulière d'Alexandrie. C'est le cas d'E. M. Forster, volontaire à la Croix-Rouge en 1915, dont les deux guides sont des chefs-d'œuvre d'esprit, de finesse en notation sur l'histoire de la ville dans sa dimension antique et cosmopolite ; c'est, bien sûr, le cas de Lawrence Durrell, attaché à la ville pendant la guerre suivante, qui a laissé avec son *Quatuor* une œuvre marquante.

❝La chevelure dorée de Cléa était appuyée contre la fenêtre, et elle avait les yeux fixés sur le pastel qu'elle était en train d'exécuter. Il était presque fini ; encore quelques touches légères, précises, et elle pourrait rendre la liberté à son modèle.**❞** Ce portrait de Durrell est un dessin de Cléa Badaro, l'une des héroïnes du *Quatuor d'Alexandrie*.

Une vie sociale à l'européenne

La langue commune des communautés fut bien vite le français. La *lingua franca* était enseignée dans les écoles communautaires et le collège de jésuites jusqu'à la Première Guerre mondiale, puis le collège Saint-Marc des Frères des écoles chrétiennes, les collèges de sœurs (Notre-Dame de Sion, Sœurs de Jeanne Antide de Besançon, etc.), et le Lycée français formèrent les rejetons de la bonne société alexandrine. Certes, le Victoria College ou l'English Girls School présentaient une qualité d'éducation au moins équivalente, mais ils semblaient moins œcuméniques dans un monde dont la langue d'échange était le français. Pourtant, leur succès et leur prestige allaient s'accroître surtout après les années 1930.

Les lieux de reconnaissance de cette société étaient principalement le théâtre qui accueillait volontiers des troupes françaises– les soirées de la Comédie-Française faisaient salle comble –, et l'opéra – avec surtout des opéras italiens –, sans compter les innombrables concerts ou conférences, autour du Musée gréco-romain fondé par la Municipalité en 1892, à la Société royale d'Archéologie et à l'Atelier. Certes, on invitait les écrivains (notamment Gide et Cocteau), mais, tout comme pour la musique, on préférait les auteurs consensuels qui, à l'instar d'un Georges Duhamel, rencontraient de grands succès.

Le cinéma fut un lieu de rencontre privilégié, avec un développement tout à fait étonnant : le passage des opérateurs des frères Lumière à Alexandrie, le 6 novembre 1896, soit un an après les premières

Les écoles chrétiennes ouvertes à Alexandrie rencontraient un large succès intercommunautaire. Avec un cursus français, le collège Saint-Marc pour les garçons, le collège de Notre-Dame de Sion pour les filles rassemblent l'élite musulmane, chrétienne et juive de la ville. On voit ici une réception officielle au collège Sainte Catherine : une sœur à grande cornette reçoit un amiral et le consul de France, à l'occasion de la visite d'un bâtiment de la flotte française.

L'anniversaire du couronnement du roi donnait lieu à des festivités : ci-contre, en 1929, le roi Fouad convie les ordres constitués de la ville, à un banquet en plein air, dans les jardins que sir John Antoniadis (un grec originaire de Chios) a légués à la ville. Ci-dessous,

Osman Pasha Orphi
Requests the honour of
M Cavafy Sons
company at a *Fête Champêtre* at his villa on the banks of the *Mahmoudieh Canal* on Monday the 18th instant (Sham-el-Nesseem).

une invitation d'Osman Pacha Orphi adressée à la famille de Cavafy pour une réception dans sa villa sur les bords du canal Mahmoudiya.

projections publiques à Paris, avait
provoqué une certaine sensation, avec
un film sur l'arrivée du train en gare
de Ramleh, tourné durant la journée,
développé et projeté le soir même.
Depuis, les salles de cinéma s'étaient
multipliées dans tous les quartiers
et si celles du centre-ville, le Strand,
le Majestic, le Cosmos ont disparu sous
la pelle des promoteurs, d'autres restent
les témoins de cette grande vogue,
comme le Métro, superbe et immense
salle construite en 1950 dans un style
moderne alliant l'aluminium, le bois
et les mosaïques. Les périodiques se sont
rapidement multipliés, comme
Cinégraphe-Journal (apparu en 1913)
Ciné-Globe (fondé en 1931) ou *Ciné-Images*.
La passion des Alexandrins ne s'est pas démentie
pendant tout un siècle et, malgré le règne de
la télévision par canaux satellites et de la vidéo,
elle reste toujours aussi vivace de nos jours.

Une sélection
des Studios Universal
pour la programmation
des salles de cinémas
d'Alexandrie, pendant
la saison 1952-1953.

Une culture égyptienne

À côté de ces manifestations des communautés étrangères et d'un art importé, la création égyptienne fleurit à Alexandrie, dans les quartiers populaires, comme à Kôm el-Dick où naquit Sayyed Darwiche, le père de la musique égyptienne moderne et le créateur de l'hymne national : sa gloire reste intacte jusqu'à aujourd'hui, plus populaire certes que celle des peintres de talent qu'étaient Mohamed Saïd (dont les œuvres sont rassemblées dans un musée de la ville), Mohamed Nagui et sa sœur Effat, largement formés à l'école occidentale mais qui ont une inspiration alexandrine originale, de même que les frères Adham et Seif Wanly, aux petits tableaux aux couleurs subtiles.

Si, en 1860, la statue équestre de Mohamed Ali sortait des ateliers parisiens du sculpteur Jacquemart (son érection provoqua des manifestations hostiles suscitées par des autorités religieuses qui considéraient qu'exposer ainsi l'image d'un souverain était contraire à l'islam), celle du dirigeant nationaliste Saad Zaghlul qui domine la place du même nom est l'œuvre du sculpteur égyptien Mahmoud Moukhtar.

Le cinéaste Youssef Chahine est né à Alexandrie, de père syrien et de mère grecque : nombre de ses films tournent autour de sa ville natale, évoquant la conquête napoléonienne (avec Michel Piccoli jouant le personnage du général Cafarelli dans *Adieu Bonaparte*) ou le sort des Juifs dans *Alexandrie, encore et toujours*.

Les peintres alexandrins suivent souvent une formation aux Beaux-Arts à Paris, mais, à leur retour, leur inspiration et leur talent produisent des œuvres originales, pleines de vie égyptienne, de couleurs qui expriment l'histoire prestigieuse de la ville (comme *Les Savants au musée*, immense œuvre de Mohamed Naghi qui décore la salle de réception de la Municipalité), les paysages urbains à l'exemple de cette corniche la nuit par Mahmoud Saïd (page de gauche, en bas) ou encore la vie sociale (ci-contre), avec la lumière tamisée d'un cabaret due au même peintre. Une Académie des beaux-arts, un cercle vivant, l'Atelier, un Musée des beaux-arts aux riches collections encourageaient l'éclosion de ces talents. Plusieurs musées (musées Naghi et Moukhtar, musée d'Art moderne au Caire, musée Mahmoud Saïd à Alexandrie) permettent de se faire une idée de la richesse et de l'originalité de ces peintres et sculpteurs qui ont marqué le XXe siècle alexandrin.

Les temps ont changé et les Égyptiens déploient leurs talents dans le cinéma avec le réalisateur Mohamed Bayumi à partir des années trente, ou deux décennies plus tard avec Youssef Chahine qui illustrera sa ville natale dans *Alexandrie pourquoi?* (1978) puis *Alexandrie encore et toujours* (1990). Alexandrie vit naître aussi l'architecte Hassan Fathy, l'auteur de *Bâtir avec le peuple*, dont on peut voir l'œuvre importante en Haute Égypte mais aussi près de la plage d'Agami. Enfin s'affirment les écrivains en langue arabe, tel Edouard Al-Kharrat qui évoque la vie quotidienne dans *Alexandrie, terre de safran* (1986), ou Naguib Mahfouz, le père du roman réaliste égyptien.

Alexandrie compte aujourd'hui plus de trois millions d'habitants, auxquels s'ajoutent un million de Cairotes durant les mois d'été. Il faut aussi compter la population des quartiers d'habitat sauvage, parfois précaire, à l'est et à l'ouest de la ville, ainsi que les nombreux migrants journaliers qui s'entassent dans des minibus ou des trains bondés. Cela donne une agglomération immense s'étendant sur une bande d'une soixantaine de kilomètres, entre mer et lac.

CHAPITRE 5

ALEXANDRIE AUJOURD'HUI

La corniche est l'un des axes majeurs qui, sur plus de 18 km, relie le port est à l'ancien palais royal de Montazah. Symbole du lien avec le passé, la nouvelle bibliothèque (à droite) s'élève dans le quartier où se trouvait la bibliothèque antique. Face à la mer, elle dresse fièrement vers le ciel son toit circulaire.

Jusqu'en 1914, l'Égypte était restée une province ottomane, dirigée par un vice-roi quasi indépendant mais placé sous tutelle européenne. En 1914, le cordon ombilical avec Istanbul est enfin coupé. L'Égypte gagne une royauté, mais le contrôle devient officiel : le protectorat britannique est proclamé.

1919 marque la montée des revendications nationalistes. À Alexandrie, la vie est ponctuée par des mouvements de protestations, avec notamment les grandes manifestations conduites par Saad Zaghlul. En 1922, sous la pression des troubles et des grèves qui frappent le pays, l'Angleterre déclare l'indépendance de l'Égypte, indépendance toute relative puisque les Britanniques conservent le contrôle du canal de Suez, des armées et de l'économie du pays. De Fouad, vice-roi depuis 1917 et roi depuis 1922, à Farouk, les Anglais, le roi et les nouvelles forces politiques du pays vont se disputer le pouvoir.

Même si le roi et le gouvernement continuent de passer l'été à Alexandrie, « la seconde capitale », désormais les décisions se prennent au Caire. Certes, les guerres ont redonné quelque importance stratégique à la cité : durant la première guerre, on accueille les blessés que les bateaux ramènent de la boucherie des Dardanelles (les cimetières militaires d'Alexandrie en sont remplis), mais on est loin des batailles. En revanche, durant la Seconde Guerre mondiale, le front est tout

Les manifestations contre l'occupant anglais se développent au lendemain de la Première Guerre mondiale. En 1919, elles sont menées par le héros national Saad Zaghlul qui est exilé à Malte puis aux Seychelles. Son parti nationaliste, le Wafd, pousse à l'indépendance, acquise en 1922 (ci-contre, les manifestants sur la place Mohamed Ali et, ci-dessous, sur le boulevard Ramleh). Aujourd'hui, la statue de bronze de Saad Zaghlul, due au célèbre sculpteur Mahmoud Moukhtar, domine une des grandes places de la ville : de façon symbolique, il est tourné vers la mer, montrant de la main le destin méditerranéen d'Alexandrie.

proche et, en octobre 1942, on entend tonner
les canons d'el-Alamein, à une centaine de kilomètres
à l'ouest : Rommel a bien failli rompre le verrou allié
et certains Égyptiens (sans parler des communautés
italiennes et allemandes) auraient vu d'un bon œil
cette façon de se débarrasser de l'occupation
britannique.

Mais, pour les Alexandrins, les temps ont changé :
dès 1937, les accords de Montreux avaient décidé
de l'abandon des tribunaux mixtes et des avantages
accordés aux étrangers. Le pays revenait à ses
véritables propriétaires et l'Égypte gagnait son
indépendance : l'on sentait bien que l'occupation
anglaise ne pourrait rester éternellement en place.

Dès 1936, les navires anglais occupent en nombre le port ouest (ci-dessus). Durant la Seconde Guerre mondiale, Alexandrie, verrou de la résistance, accueille également une partie de la flotte française. Les marins sont consignés à bord, mais certains vont répondre à l'appel gaulliste. Là aussi se joue l'affrontement entre Vichyssois et partisans de la Résistance.

Du roi au raïs

L'après-guerre est une période de récession et de crise extérieure avec la création de l'État voisin d'Israël qui débouche sur une première guerre en 1948 et une lutte intensifiée contre les Anglais sur les bords du canal de Suez. En 1952, de violentes émeutes secouent Le Caire à la suite d'une attaque par les Anglais d'une brigade de police dans laquelle s'étaient infiltrés des terroristes. Devant la faiblesse du gouvernement, un groupe d'officiers libres, dirigés par le général Nagib et dont l'homme fort est Gamal Abdel Nasser, prend le pouvoir le 23 juillet.

Le 26 juillet, la scène se déplace à Alexandrie et le roi Farouk, qui, en 1936, âgé de seize ans, avait succédé à son père Fouad, est contraint d'abdiquer en faveur de son fils, alors âgé de deux ans. Depuis son palais de Montazah, il traverse de manière presque symbolique toute la ville d'est en ouest, pour gagner le palais construit à Ras el-Tin par son ancêtre Mohamed Ali et agrandi par ses successeurs.

Le 26 juillet 1952, le roi Farouk Ier est contraint à l'abdication par les Officiers libres, auteurs d'un coup d'État, trois jours plus tôt. Une des passions de Farouk était de conduire des voitures de sport, toujours rouges, couleur qui lui était réservée : les temps changent et on le voit ici essayant de se cacher dans cette berline noire qui l'emmène depuis son palais de Montazah vers le port ouest, en une dernière traversée d'Alexandrie qu'il ne devait plus jamais revoir.

Là, il s'embarque sur le *Mahrousa*, le bateau que le khédive Ismaïl avait fait construire pour l'inauguration du canal de Suez.

Le 26 juillet est devenu la fête de la cité et, en ce même jour de 1956, depuis le balcon de la Bourse, Nasser prononce un discours fleuve. Soudain, il annonce dans un éclat de rire à une foule de 250 000 personnes ébahies, la nationalisation immédiate du canal de Suez. C'est la liesse populaire, mais la mesure ne sera pas acceptée par les Anglais, les Français et aussi, pour des raisons de sécurité, par les Israéliens. Ceux-ci envoient des troupes : c'est la « lâche agression tripartite », selon l'expression consacrée, avec l'invasion du Sinaï, de Suez et de Port-Saïd, suivie d'un retrait dû aux pressions américaines et russes.

Les conséquences de cette suite d'événements seront importantes pour Alexandrie, car aussitôt Anglais, Français, et Juifs sont expulsés. La plupart gagnent l'Europe, une partie des Juifs rejoint en Israël leurs coreligionnaires partis dès 1948.

Quatre ans après le départ du roi, Nasser a écarté le maréchal Nagib et le leader fête l'anniversaire de la Révolution en annonçant du balcon de la Bourse d'Alexandrie, sur la place Mancheyya, la nationalisation du canal de Suez à une foule d'abord ébahie puis déchaînée d'enthousiasme (ci-dessus). À bord de son train spécial, Nasser mettra presque une semaine pour regagner Le Caire, arrêté dans toutes les gares par des manifestations populaires, dans la liesse qui suivit sa déclaration d'Alexandrie.

La fin des communautés étrangères

Le mouvement de départ des étrangers est accéléré avec les mises sous séquestre, la réforme agraire (à partir de 1957) et les nationalisations du début des années soixante qui décident des Grecs et des Syro-Libanais à prendre le chemin de l'exil, cette fois vers la Grèce, le Canada et l'Australie. On peut imaginer le déchirement que représentent ces départs pour des familles nées à Alexandrie, parfois installées depuis des siècles, et qui n'ont jamais connu que l'Égypte. Un demi-siècle après, les nostalgies sont encore fortes, s'exprimant à travers des clubs de Montréal ou de Sydney, dans lesquels les Alexandrins fixés à l'étranger parlent sans jamais se lasser de leur ville aimée, jamais oubliée, parfois magnifiée dans leur souvenir, qu'ils ont dû quitter malgré eux, souvent avec une seule valise, en abandonnant tout derrière eux...

C'est la fin des communautés, de la ville cosmopolite dans laquelle Nasser – qui y a passé une partie de sa jeunesse – ne s'était jamais senti à l'aise. Le gouvernement abandonne l'habitude séculaire de passer l'été à Alexandrie ; tout se passe au Caire, et Alexandrie s'assoupit à nouveau.

Les premiers étrangers expulsés à la suite de l'affaire de Suez sont des sujets français (ci-dessous, à l'arrivée à Marseille) et anglais (à gauche, à leur départ d'Alexandrie). Bon nombre de familles partent en quelques heures, munies d'une seule valise, laissant tous leurs biens derrière elles. Les communautés étrangères fondent en quelques années et ne sont plus aujourd'hui qu'un souvenir. Souvent, ces anciens Alexandrins reviennent sur leur passé, publiant des mémoires qui apportent à l'historien des témoignages précieux sur la vie dans les communautés. Certains recèlent en outre une valeur littéraire, exprimant de façon poétique l'attachement de ces exilés à leur ville, leur recherche lancinante d'une partie de leur mémoire tout au long de leurs nouvelles vies.

On sent bien l'atmosphère de la cité endormie dans le roman de Naguib Mahfouz, *Miramar*, où l'unique étranger est la tenancière de la pension où loge le héros. Elle est la seule à rêver du temps passé au milieu d'une ville désormais entièrement égyptienne. Mêmes les noms des rues changent : la rue Fouad devient la rue el-Horreya (la Liberté), la rue Shérif devient Salah Salem, l'un des officiers du coup d'État (même s'il faut ajouter que les Alexandrins d'aujourd'hui continuent à appeler les rues d'après leurs anciens noms...).

Les villas à l'européenne, les immeubles semblables à ceux de Turin ou de Marseille qui fleurissaient dans la partie orientale

Une situation économique désastreuse

Les guerres successives contre Israël (1967, 1973) aggravent encore la situation économique. On ne construit plus, le parc immobilier n'est plus entretenu, les immeubles sont décrépis, les ascenseurs définitivement bloqués entre deux étages (d'autant que les loyers sont gelés depuis 1963 à des tarifs dérisoires et avec des baux transmissibles), les produits importés disparaissent des vitrines.

de la ville sont abandonnés, souvent détruits. Ce fut le sort de l'immeuble à la tour octogonale (ci-dessus), dans le quartier de Moharrem Bey, où vécut Lawrence Durrell, et qu'il décrit dans sa correspondance avec Henry Miller.

L'économie de socialisme étatique est imposée, les conseillers russes grouillent dans les rues, les tickets de rationnement font leur apparition, permettant d'accéder aux produits de base – sucre, viande, sans parler du café qui a totalement disparu du marché –, que l'on ne peut acheter qu'à des coopératives d'État ou au prix fort du marché noir. L'administration tatillonne et soupçonneuse est de plus en plus centralisatrice et toutes les décisions sont prises au Caire – où les Alexandrins doivent se rendre pour obtenir le moindre papier –

et Alexandrie se réduit au rôle de son port.
Le mécontentement populaire gronde sous
la présidence d'Anouar el-Sadate, trouvant son
paroxysme dans les émeutes de la faim de janvier
1977 : sur la place Mancheyya (l'ancienne place
Mohamed Ali), la Bourse, bâtiment symbolique
du capital mais aussi du discours de 1956, est livrée
aux flammes et, aujourd'hui, ce n'est plus qu'un
parking.

Un nouvel essor

La signature de la paix par Sadate, l'ouverture
vers une économie libérale permettent le retour
à une certaine prospérité. Les importations
reprennent, les industries s'installent sur la rive sud
du lac Mariout et Alexandrie devient la première
place industrielle de l'Égypte. Le port connaît tant
de mouvement qu'on est obligé d'en aménager
un autre à Dekheila, quelques kilomètres plus
à l'ouest ; plus de 70 % des exportations du pays
transitent par Alexandrie. Durant les dernières
années, le gouverneur de la ville incite les hommes
d'affaires à participer financièrement
au rafraîchissement de la cité et les façades
sont repeintes, des espaces verts sont aménagés,

À partir du voyage
du président Sadate
à Jérusalem, en 1977,
le pays s'ouvre à
l'économie libérale. On
voit ici un des symboles
de cette réconciliation
de l'Égypte avec
l'Occident : la visite à
Alexandrie de Richard
Nixon, président
des États-Unis, en 1974.
Les temps ont changé
rapidement, lorsque l'on
songe que la dernière
guerre avec Israël date
de 1973. Aujourd'hui,
le processus de
libéralisation de
l'économie égyptienne
se poursuit, avec la
privatisation progressive
des grandes entreprises
étatiques qui s'étaient
formées durant l'époque
nassérienne, exercice
difficile pour ne pas
bouleverser le tissu
social.

la corniche – qui est doublée en largeur – reprend son lustre d'antan. Quelques grands travaux de prestige sont lancés comme la Bibliotheca alexandrina, censée renaître comme un phénix sur les cendres de l'antique bibliothèque. Avec l'économie de paix, les travaux immobiliers reprennent et on assiste même à une certaine frénésie dans ce domaine, avec le renouvellement rapide du parc foncier du XIXe siècle. Les tours d'appartements – et de bureaux au centre ville – effacent le cachet particulier qu'Alexandrie a longtemps conservé, en détruisant aussi le patrimoine antique que son enfouissement – jusqu'à 12 mètres de profondeur – avait préservé jusqu'à présent. Alors que les bâtiments du XIXe siècle aux fondations peu profondes avaient scellé les couches antiques, les nouvelles tours sont ancrées jusqu'à dans le substrat rocheux, traversant toutes les couches anthropiques, d'autant qu'elles sont souvent munies de plusieurs étages de garages souterrains.

Alexandrie garde deux visages : à côté des restes de la ville turque et des marques de son passé cosmopolite, elle se tourne résolument vers l'avenir. La Bibliotheca alexandrina (ci-dessous) est le symbole de la renaissance de la mégapole méditerranéenne dans l'Égypte moderne.

Alexandrie a connu de violents phénomènes naturels : séismes, *tsunamis* (vagues géantes) et subsidence. La ville s'est enfoncée de plusieurs mètres depuis sa fondation et les récentes fouilles sous-marines ont révélé l'importance du patrimoine conservé dans les eaux de la Méditerranée : monuments de la ville, mais aussi obélisques et sphinx d'époque pharaonique empruntés à l'ancien sanctuaire d'Héliopolis, statues colossales des Ptolémées, etc. Ce colosse de roi grec représenté en pharaon fut récupéré en 1995 : pesant plus de 70 tonnes avec sa base, haut de 13 mètres, il était dressé au pied du Phare d'Alexandrie. On le voit ci-dessus, remonté devant le Petit Palais à Paris, en 1998, lors de l'exposition « La Gloire d'Alexandrie ». En bas, à droite, le parc de Kôm el-Dick et son Odéon romain, seul site archéologique préservé au cœur de la ville.

Patrimoine et modernité : un combat inégal

La bataille entre l'archéologie de sauvetage et les promoteurs est inégale et les Alexandrie passées disparaissent à grande vitesse : depuis 1960, seul le parc archéologique de Kôm el-Dick a été préservé, à l'occasion de la découverte du seul des quatre cents théâtres d'Alexandrie qui ait subsisté jusqu'à nos jours. Depuis, tout est définitivement détruit, car l'on n'imagine pas que la mise en valeur du patrimoine si particulier d'Alexandrie puisse contribuer à son développement touristique et représenter un jour un vecteur économique. On attend la construction d'une ligne de métro avec une certaine appréhension : avec des stations qui s'appelleront Tombeau d'Alexandre, Grande Bibliothèque ou Nécropolis, sera-t-elle l'occasion de grandes découvertes ou de grandes destructions ?

Un autre phénomène a vu récemment le jour : l'exploration des côtes alexandrines, avec une pléthore de missions archéologiques. La ville s'est enfoncée de 6 à 8 mètres depuis l'Antiquité et

Les fouilles terrestres ne connaissent pas toujours un sort heureux : en 1997, la construction d'un pont autoroutier dans la zone du port ouest a entraîné la découverte fortuite d'une partie de la Nécropolis, le grand cimetière ouest de la ville. La reprise de la construction du pont en mars 2000 a signifié la destruction de cet ensemble archéologique. Le développement de la ville offre de nombreuses occasions de fouilles de sauvetage, mais les promoteurs n'ont pas toujours le même intérêt que les archéologues pour la mise en valeur du patrimoine de la cité.

Américains, Égyptiens, Français, Grecs, Italiens découvrent depuis quelques années les franges englouties de cette Alexandrie miraculeusement préservée par la subsidence. Alors qu'on manque de forces dans le sauvetage urbain, le caractère médiatique des fouilles sous-marines attire beaucoup de monde…

À l'ombre du Caire, Alexandrie continue d'essayer de se trouver une identité : cité bourdonnante d'activité et riche, marchande et industrielle, appartenant à l'Égypte et tournée vers la Méditerranée, ville littéraire et ville du souvenir, elle possède toujours un charme que ressentent tous les visiteurs. Son épaisseur historique s'inscrit encore dans son magnifique paysage, avec sa beauté naturelle transformée par les hommes au cours des millénaires, avec sa corniche digne de Miami, avec ses gratte-ciel qui cachent encore de somptueuses villas néo-classiques, sans parler de la surprise, au coin d'une rue, de tomber sur des catacombes qui nous permettent de descendre dans ses entrailles et de découvrir la munificence de l'Alexandrie antique.

Sur le site de l'ancien théâtre Diana, au cœur de la ville, une fouille de sauvetage (ci-dessous) a retrouvé des maisons romaines couvertes de mosaïques. Ci-contre, les tours modernes recouvrent la nécropole antique de Mustafa Kamel.

Dans les cimetières latins (page suivante), s'élève un grand tombeau antique en albâtre où les archéologues placent volontiers le tombeau d'Alexandre. Ces grandes étendues attisent désormais la convoitise des promoteurs et on peut formuler des vœux pour que des fouilles de sauvetage y soient entreprises.

TÉMOIGNAGES ET DOCUMENTS

Témoignages antiques

*Plutarque (v. 45 apr. J.-C. - v. 125 apr. J.-C.), historien,
et Strabon (v. 58 av. J.-C. - v. 25 apr. J.-C.), géographe,
évoquent tous deux la cité créée par Alexandre.
Si le premier relate la fondation mythique de la ville,
c'est à une promenade que le second nous convie.
Mêlant des informations tirées de ses lectures
à une véritable observation de terrain, Strabon nous livre
une description extrêmement précieuse de la ville.*

Plutarque

[...] Maître désormais de l'Égypte, Alexandre voulait y fonder une ville grecque, grande et populeuse, à laquelle il laisserait son nom. Déjà, sur l'avis des architectes il allait mesurer et enclore un certain emplacement, lorsque la nuit, pendant qu'il dormait, il eut une vision merveilleuse. Il lui sembla voir un vieillard chenu, à l'allure vénérable, s'installer près de lui et prononcer ces vers :
*Et puis il est une île en la mer agitée
En avant de l'Égypte : on la nomme
[Pharos.*

Il se leva sur-le-champ pour aller à Pharos [...]. Ayant constaté que c'était un site exceptionnellement favorable – l'île se présente en effet comme une bande de terre, comparable à un isthme de belle taille, placée entre une vaste lagune d'un côté et, de l'autre, un bras de mer qui se termine par un grand port –, il déclara qu'Homère, entre tant d'autres talents admirables, possédait aussi celui d'architecte et ordonna de tracer un plan de la ville qui vint s'inscrire dans ce site. Comme on n'avait pas de craie sous la main, on prit de la farine pour tracer sur le sol noirâtre une enceinte arrondie dont le contour intérieur tendu par des lignes droites suggérait une chlamyde qui, à partir des franges, allait rétrécissant régulièrement.

Plutarque, *Vies parallèles,
Vie d'Alexandre*

Strabon

L'aire de la ville a la forme d'une chlamyde ; les longs côtés de la chlamyde sont ceux que baignent les eaux de la mer et du lac, avec un diamètre d'environ trente stades, et les côtés courts sont formés par les deux isthmes, de sept à huit stades de largeur chacun, et enserrés d'un côté par la mer et de l'autre par le lac. La ville est partout sillonnée de rues que peuvent utiliser les cavaliers ou les conducteurs de char ; deux d'entre elles sont extrêmement larges, de plus d'un plèthre de largeur, et s'entrecroisent à angle droit. La ville renferme des parcs splendides et les bâtiments royaux, qui occupent le quart, voire le tiers de la superficie totale, car chacun des rois, jaloux d'embellir à son tour les édifices publics de quelque

nouvel ornement, ne l'était pas moins d'ajouter, à ses propres frais, une résidence à celles déjà existantes, de sorte que maintenant on peut leur appliquer le mot du poète :
«Ils naissent les uns des autres.»

Tous ces édifices forment un construction continue, eux-mêmes et le port et même ceux qui s'étendent au-delà du port. Le Museion fait lui aussi partie des bâtiments royaux et comprend un péripate, une exèdre avec des sièges, et un grand édifice, où se trouve la salle commune dans laquelle prennent leur repas les savants, membres du Museion. Cette communauté d'érudits possède des biens en commun; ils ont aussi un prêtre directeur du Museion, autrefois désigné par les rois, maintenant par César. Le lieu appelé Sôma fait également partie des bâtiments royaux. C'est une enceinte renfermant les sépultures des rois et celle d'Alexandre. [...]

En entrant dans le Grand Port, à main droite, on trouve l'île et la tour de Pharos; à main gauche, les récifs et la pointe de Lochias, avec un bâtiment royal. Et pénétrant dans le port on arrive, sur la gauche, aux bâtiments royaux «du dedans», qui font suite à celui du Lochias et comprennent des bosquets et de nombreuses résidences aux constructions variées. Au-dessous de ces bâtiments s'étend le port artificiel et fermé, propriété privée des rois, comme l'est aussi Antirrhodos, île située en avant du port artificiel, possédant un palais royal et un petit port. Elle fut dénommée ainsi, comme si elle était la rivale de Rhodes.

Au-dessus du port artificiel se trouvent le théâtre, puis le Poseidion, coude faisant saillie depuis ce qu'on nomme l'Emporion, et qui porte un temple de Poséidon. Antoine prolongea ce coude jusqu'au milieu du port par un môle et, à l'extrémité de ce môle, fit bâtir une résidence royale qu'il surnomma Timonion. [...] Viennent ensuite le Kaisarion, puis l'Emporion et les entrepôts, auxquels succèdent les arsenaux, s'étendant jusqu'à l'Heptastade. [...]

Immédiatement après l'Heptastade vient le port d'Eunostos, et, au-delà, le port artificiel, dit le Kibôtos, possédant lui aussi ses arsenaux. Plus loin, à l'intérieur de ce port, débouche un canal navigable allant jusqu'au lac Maréôtis. Au-delà de ce canal, il ne reste plus qu'une petite partie de la ville. Commence ensuite le faubourg de Nécropolis, où sont un grand nombre de jardins, de tombeaux et de lieux d'accueil propres à la momification des morts. Du côté – interne à la ville – du canal, on trouve le Sarapion et d'autres enceintes sacrées fort anciennes, aujourd'hui presque abandonnées [...].

En un mot, la ville est pleine d'édifices publics et sacrés, mais le plus beau est le Gymnase avec ses portiques longs de plus d'un stade; au centre se trouvent le tribunal et les bosquets. Là aussi, s'élève le Paneion, une «éminence» artificielle, à forme de pomme de pin; on dirait une colline rocailleuse. On y accède par un chemin en spirale. Du sommet on peut contempler la ville dans son intégralité, s'étendant à ses pieds dans toutes les directions. La grande rue, qui traverse Alexandrie dans le sens de la longueur, part de Nécropolis, puis, longeant le gymnase, débouche sur la porte Canopique. Font suite l'Hippodrome, ainsi nommé, et les autres (constructions) qui s'étendent l'une après l'autre jusqu'au canal Canopique.

Strabon,
Géographie, livre 17

Les aiguilles de Cléopâtre

Au début du XIXᵉ siècle, le trafic des antiquités égyptiennes va bon train. Avec la bénédiction de Mohamed Ali, Drovetti, consul de France, et H. Salt, consul d'Angleterre, rassemblent des collections considérables pour les musées européens. Le pacha offre aux Anglais l'un des deux obélisques qu'Auguste avait placés devant le Césaréum. Il rejoint les bords de la Tamise en 1877, tandis que les Américains emportent le second à New York, en 1879.

Devant le Caesareum (entre le terminus des tramways et la mer) s'élevaient les aiguilles de Cléopâtre, dont l'une est aujourd'hui dans Central Park, à New York, et l'autre à Londres, au bord de la Tamise. Ces obélisques n'eurent aucun rapport avec Cléopâtre de son vivant. Ils furent taillés dans les carrières de granit d'Assouan pour Thotmès III (1500 av. J.-C.), et dressés par lui à Héliopolis, près du Caire, devant le temple du Soleil levant. En 13 av. J.-C., ils furent transférés ici par l'ingénieur Pontius. Ils ne reposaient pas directement sur leurs bases, mais chacun sur quatre énormes crabes de métal; l'un d'eux a été retrouvé. Des statues d'Hermès ou de Victoire couronnaient leur sommet. Durant la période arabe, quand tout se dégradait alentour, ils devinrent la principale merveille de la ville. L'un d'eux tomba. Ils restèrent *in situ* jusqu'au XIXᵉ siècle, époque à laquelle ils furent séparés et entreprirent leur dernier voyage, celui qui était tombé vers l'Angleterre en 1877, l'autre vers les États-Unis deux ans plus tard.

E.M. Forster, *Alexandrie,* Quai Voltaire, 1990

Le transport de l'obélisque anglais ne se fit pas sans encombre : le *Cleopatra,* navire cylindre construit tout spécialement (au centre), fit naufrage dans le golfe de Gascogne (en bas à gauche) et dût être racheté au capitaine du navire qui l'avait récupéré. L'obélisque américain (en haut, à droite) fut quant à lui transporté sans mal et érigé à Central Park (en bas, à droite), sous les yeux d'une foule de curieux.

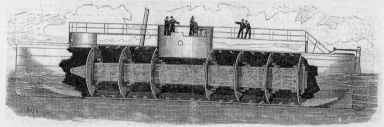

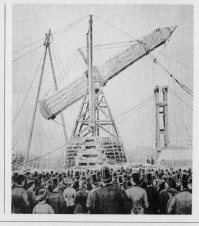

Le témoignage des voyageurs

Alexandrie a attiré de nombreux voyageurs : marchands du monde arabe ou pèlerins sur la route de la Mecque, voyageurs chrétiens sur le chemin de Jérusalem. Leurs témoignages nous éclairent sur les difficultés de la douane, les mœurs des habitants, l'importance des murailles, la beauté des citernes. Aux XIXe et XXe siècles, les récits mêlent déception, fascination et nostalgie.

«Nous n'avons vu aucune autre ville [...] qui soit plus belle et plus vivante.»

La première scène dont nous fûmes témoins, le jour de notre arrivée [1er avril 1183], est celle de la montée à bord des douaniers, au nom du gouverneur de la ville, pour inspecter la cargaison.

Tous les passagers musulmans, l'un après l'autre, comparurent : on enregistra leur nom, leur signalement et leur pays d'origine. Chacun fut interrogé sur les marchandises qu'il transportait et les espèces qu'il possédait, pour percevoir la *zakât* [...]. On fit débarquer Ahmad ben Hassân, un des nôtres, pour lui demander des nouvelles du Maghreb et l'interroger sur la cargaison du navire. On l'amena d'abord, sous bonne escorte, chez le gouverneur, puis chez le cadi, les agents de la douane, un groupe de gens de l'entourage du gouverneu ; chacun l'interrogea et enregistra ses paroles. Enfin on le libéra. Puis on ordonna aux musulmans de débarquer leurs bagages et les provisions qui leur restaient. Sur le rivage, ils trouvèrent des agents qui se chargeaient de les emmener à la douane et de transporter tous leurs effets. Alors, on les appela, un par un, chacun présenta ses bagages dans la cohue. On les fouilla tous, tant ceux qui avaient quelque prix que ceux qui n'en avaient pas. On les mêla les uns aux autres. On introduisit la main dans la ceinture pour y chercher ce qu'on aurait dissimulé. On demanda de jurer qu'on avait rien d'autre que ce qu'on avait découvert. Au milieu de cette bousculade disparurent beaucoup de bagages de par le jeu des mains et de la cohue. Enfin, on libéra les musulmans après cette séance terriblement humiliante et déshonorante. [...]

Nous n'avons vu aucune autre ville où les rues sont si vastes, les bâtiments si élevés, qui soit plus belle et plus vivante. Ses marchés sont très animés.

Pour la structure de la ville, il est étonnant que les constructions souterraines soient aussi importantes que celles qui sont en surface et aussi belles et solides; ceci vient de ce que l'eau du Nil passe sous terre, au-dessous de toutes les maisons et les rues. Les puits sont donc contigus les uns aux autres et communiquent entre eux. [...]

Citons parmi les vertus et les titres de gloire de cette ville dont l'honneur revient en réalité à son sultan, les madrasas et les couvents qui s'y trouvent et qui sont réservés aux étudiants et aux dévôts qui y affluent des pays lointains. Chacun y trouve un logement, un maître qui lui enseigne la branche de la science qu'il désire étudier et une pension pour subvenir à ses besoins. Le sultan se soucie tant de ces étrangers exceptionnels qu'il a ordonné d'installer des bains dont ils se servent à l'occasion, d'instituer un hôpital où sont soignés leurs malades et où fonctionnent des médecins qui les traitent et qui ont sous leurs ordres des serviteurs chargés d'exécuter les prescriptions médicales et les régimes ordonnés par les médecins dans l'intérêt des malades. Le sultan a aussi appointé des gens chargés de rendre visite aux patients qui ne se font pas hospitaliser, surtout des étrangers, et de soumettre leur cas aux médecins afin qu'ils veillent à leur traitement. [...]

Il est curieux que dans cette ville les gens ont les mêmes occupations, la nuit et le jour. C'est aussi la cité qui possède le plus de mosquées, si bien que l'estimation qu'on en fait est imprécise : certains en exagèrent le nombre, d'autres le minorent, les premiers arrivent à douze mille, les seconds en comptent moins, sans préciser, huit mille ou un autre chiffre. En vérité, les mosquées sont très nombreuses; il y en a jusqu'à quatre ou cinq au même endroit, et parfois, l'une est composée de plusieurs.

Ibn Jubayr, *Relation de voyages,*
in *Voyageurs arabes,* Gallimard, 1995

«L'œil ne rencontre plus que du sable, des eaux et l'éternelle colonne de Pompée.»

Si j'avais été enchanté de l'Égypte, Alexandrie me sembla le lieu le plus triste et le plus désolé de la terre. [...] Partout la nouvelle Alexandrie mêlant ses ruines aux ruines de l'ancienne cité; un Arabe galopant sur un âne au milieu

des débris; quelques chiens maigres dévorant des carcasses de chameaux sur la grève; les pavillons des consuls européens flottant au-dessus de leurs demeures, et déployant, au milieu des tombeaux, les couleurs ennemies : tel était le spectacle.

Quelquefois je montais à cheval avec M. Drovetti, et nous allions nous promener à la vieille ville, à Nécropolis, ou dans le désert. La plante qui donne la soude couvrait à peine un sable aride; des chacals fuyaient devant nous; une espèce de grillon faisait entendre sa voix grêle et importune : il rappelait péniblement à la mémoire le foyer du laboureur, dans cette solitude où jamais une fumée champêtre ne vous appelle à la tente de l'Arabe. Ces lieux sont d'autant plus tristes, que les Anglais ont noyé le vaste bassin qui servait comme de jardin à Alexandrie : l'œil ne rencontre plus que du sable, des eaux et l'éternelle colonne de Pompée.

M. Drovetti avait fait bâtir, sur la plate-forme de sa maison, une volière en forme de tente, où il nourrissait des cailles et des perdrix de diverses espèces. Nous passions les heures à nous promener dans cette volière, et à parler de la France. La conclusion de tous nos discours, était qu'il fallait chercher au plus tôt quelque petite retraite dans notre patrie, pour y renfermer nos longues espérances. Un jour, après un grand raisonnement sur le repos, je me tournai vers la mer, et je montrai à mon hôte le vaisseau battu du vent sur lequel j'allais bientôt m'embarquer. Ce n'est pas, après tout, que le désir du repos ne soit naturel à l'homme; mais le but qui nous paraît le moins élevé, n'est pas toujours le plus facile à atteindre, et souvent la chaumière fuit devant nos vœux comme le palais.

Chateaubriand
Itinéraire de Paris à Jérusalem, 1811

«Tout cela est détruit, rasé, méconnaissable.»

L'Égypte est un vaste tombeau; c'est l'impression qu'elle m'a faite en abordant sur cette plage d'Alexandrie, qui, avec ses ruines et ses monticules, offre aux yeux des tombeaux épars sur une terre de cendres.

Des ombres drapées de linceuls bleuâtres circulent parmi ces débris. Je suis allé voir la colonne de Pompée et les bains de Cléopâtre. La promenade du Mahmoudieh et ses palmiers toujours verts rappellent seuls la nature vivante...

Je ne te parle pas d'une grande place tout européenne formée par les palais des consuls et par les maisons des banquiers, ni des églises byzantines ruinées, ni des constructions modernes du pacha d'Égypte, accompagnées de jardins qui semblent des serres. J'aurais mieux aimé les souvenirs de l'antiquité grecque; mais tout cela est détruit, rasé, méconnaissable.

Gérard de Nerval
Voyage en Orient, 1851

«Je me foutais une ventrée de couleurs, comme un âne s'emplit d'avoine.»

Quand nous avons été à 2 heures du rivage d'Égypte, je suis monté avec le chef de timonerie sur l'avant et j'ai aperçu le sérail d'Abbas-Pacha, comme un dôme noir sur le bleu de la mer. Le soleil tapait dessus. J'ai aperçu l'orient à travers, ou plutôt dans une grande lumière d'argent fondue sur la mer. Bientôt le rivage s'est dessiné, et la première chose que nous avons vue à terre c'est deux chameaux conduits par un chamelier, puis, tout le long du quai, de braves Arabes qui pêchaient à ligne de l'air le plus pacifique du monde.

Pour débarquer, ç'a été le tintamarre le plus étourdissant du monde, des nègres, des négresses, des chameaux, des turbans, des coups de bâton administrés de droite et de gauche avec des intonations gutturales à déchirer les oreilles. Je me foutais une ventrée de couleurs, comme un âne s'emplit d'avoine. – Le bâton joue un grand rôle ici, tout ce qui porte un habit propre rosse ce qui porte un habit sale ou plutôt ce qui n'a pas d'habit; quand je dis habit, c'est culotte qu'il faudrait. – On voit quantité de Messieurs vaquer de par les rues rien qu'avec une chemise et une longue pipe. Hormis les femmes de la plus basse classe, toutes sont voilées, avec des ornements sur le nez qui pendent et ballottent comme au frontal des chevaux. En revanche, si l'on ne voit pas leur figure, on leur voit à toutes la poitrine. – En changeant de pays, la pudeur change de place, comme un voyageur embêté qui se met tantôt sur l'impériale et tantôt dans la rotonde. Une chose ici curieuse, c'est le respect ou plutôt la terreur que l'on a pour le Frank. Nous avons vu des bandes de dix et douze Arabes, tenant toute une rue, s'écarter pour nous laisser passer. Alexandrie, d'ailleurs, est presque un pays européen, tant il y a d'Européens. Nous sommes, à la table d'hôte de notre seul hôtel, une trentaine. Tout est plein d'Anglais, d'Italiens, etc. [...]

Gustave Flaubert, Lettre à sa mère, 1849, *Correspondance*, La Pléiade, 1973

«Ville composite. Vrai lieu de transit, aspect de colonies»

Dès le matin sept heures et demie, sous un ciel clair, par un beau soleil, à l'horizon sud-est, on voit quelque chose au-dessus de la mer. On dit que ce sont des arbres, des palmiers bien entendu.

Les taches se rapprochent, se précisent, une côte basse apparaît. Une heure après, toute la côte libyque et tout Alexandrie étaient en vue. [...]

Alexandrie. Ville composite. Vrai lieu de transit, aspect de colonies, c'est-à-dire résidence d'étrangers au sol.

Morceaux de remparts très beaux, très beaux. Boulevards extérieurs. Première physionomie proprement égyptienne. Les premiers fellahs qu'on voit frappent beaucoup, et le premier convoi de dromadaires avec qui je renouvelle connaissance me fait battre le cœur. Nous sortons du quartier franc, et visitons les quartiers arabes : c'est déjà très curieux; quand on a vu Le Caire, ce n'est plus rien.

Dispute au marché aux fruits. Une femme, vraie lionne en colère : rien de plus fauve, de plus rauque, de plus terrible. Mâchoire effrayante, flamme des yeux, gestes formidables, et toujours la même exaspération et les mêmes imprécations pendant un quart d'heure, toujours sans fatigue et avec des redoublements à n'y pas croire. Sa compagne, longue, mince, muette, strictement voilée, habillée de crêpe sombre, coiffée de noir, et le crâne tout enveloppé de chaînettes d'argent qui moulaient sa jolie tête : était-elle jolie? Par un geste de son bras gauche nu, orné d'argent, et de sa main à paume orangée, sans dire un mot, sans bouger, elle appuyait son menton et attendait que son enragée amie eût épuisé sa colère.

Enfants ventrus mangés aux mouches.

Eugène Fromentin,
Voyage en Égypte, 1869

«Ce ne sont que les marchands d'Alexandrie qui achètent du coton.»

«Oh, Dieu nous garde! Quel est ce bruit effroyable? Courons, courons! Quelqu'un a-t-il été tué?

— Ne vous tourmentez pas, cher Monsieur au grand cœur, ce ne sont que les marchands d'Alexandrie qui achètent du coton.

— Mais ils sont certainement en train de s'assassiner les uns les autres?

— Point du tout. Ils ne font que gesticuler.

— Existe-t-il un endroit d'où l'on puisse sans danger regarder ces gestes-là?

— Ce lieu existe.

— Il ne m'y sera physiquement fait aucun mal?

— Aucun, aucun.

— Alors montrez-moi le chemin, je vous prie.»

Et, après avoir gagné une pièce située tout en haut, nous avons plongé nos regards dans une salle prodigieuse.

Il est courant de comparer de telles visions à l'*Enfer* de Dante, mais la ressemblance était ici bien réelle, car on voyait clairement marqués les cercles concentriques dont parle le Florentin. Dans ces cercles, séparés les uns des autres par des balustrades décoratives, les tourments s'intensifiaient à mesure que se réduisaient les dimensions, au point que le cercle intérieur était envahi, sans espoir de rédemption, par une foule d'âmes en sueur. Par-dessus la cuvette centrale où ne se tenait, comme pétrifié,

qu'un employé inamovible, ces gens échangeaient force cris, gestes des bras et postillons. L'employé agitait de temps en temps une clochette, tandis qu'un de ses collègues, qui se tenait plus loin sur une échelle, grimpait de temps à autre pour écrire à la craie sur un tableau. Les marchands se frappaient la tête et poussaient des hurlements. Puis est venue une terrible accalmie. Quelque chose de pire se préparait. Nous en avons profité pour parler.

«Oh, dites-moi le nom de ce lieu!

— Ce lieu n'est autre que la Bourse. On vend le coton de ce côté-ci et les valeurs mobilières de ce côté-là.»

E. M. Forster, *Pharos et pharillon,* 1953,
traduction de Claude Blanc,
Quai Voltaire, 1991

«Oui, c'était des bals tous les jours [...] On avait beaucoup de goût à Alexandrie...»

Dans les vitrines du Yacht Club, il y a encore tout un tas de vieilles coupes de régates; sur le toit, le vent tourne les pages d'une collection complète, reliée, gondolée par les intempéries, de *The Rudder,* une vénérable revue de voile britannique. Dans la salle à manger, le maître d'hôtel dont le nœud papillon a nourri des vols entiers de mites est désolé de ne plus pouvoir servir de vin, la mer jette de tremblants reflets au plafond. «Oui, se souvient sans amertume une vieille Alexandrine, c'était des bals tous les jours... Les soirs où Madame Salvago et toutes ces dames des grandes dynasties cotonnières allaient au théâtre Mehmet Ali, les loges scintillaient de bijoux...» Par les fenêtres on voit la courbe parfaite du port de l'Est se dérouler, depuis la forteresse enfermant les soubassements du phare antique, vers Chatby-les-Bains, Glymenopoulos, Stanley Beach, San

Stefano, les plages aux anciens noms d'Europe maintenant surplombées par un mur continu de béton délabré. «Lorsque vous descendiez la rue Sherif, se rappelle la vieille dame, vous respiriez d'un bout à l'autre le numéro 5 de Chanel. On avait beaucoup de goût à Alexandrie…» Tout à l'heure, elle emmènera l'inspecteur des ruines dans le quartier de Mohharam Bey, derrière la gare du Caire. «Vieux jardins reflétés par les yeux», grandes villas poudreuses endormies entre les chantiers. Seul, rue Badawi, l'extravagant palais, gris et ocre et rose, dont Durrell aurait fait le modèle de la maison de Nessim, a résisté à l'érosion : il est occupé par le consulat de Chine. «C'était un architecte italien qui vivait là. Il était tellement jaloux qu'il tenait sa femme prisonnière. La pauvre… Je jouais avec elle au Sporting.» Une belle chaise, avec un sac en jute pour coussin, dans la guérite de la sentinelle, provient sans doute du salon de Justine. La vieille dame cherche la maison Ambron, où habitait Durrell. Est-ce celle-ci, avec une tourelle, un toit crevé? Ou bien celle-là, avec des colonnes de porphyre? «Il faudrait que je trouve un vieillard. Les jeunes ne savent plus rien de ce temps-là.» Une façade aux persiennes closes lui tire un petit rire : «La propriétaire de cette maison achetait les faveurs du plus beau garçon de la ville avec des tableaux de Dufy… Une nuit, un Dufy…» Une porte rouillée donne accès aux profonds jardins de la maison Lévi. Les arbres, les tonnelles ont pris une couleur d'or terne. Entre des chapiteaux, un vieil homme pique des salades, indifférent aux visiteurs du souvenir. La maison est haute et muette, elle semble le lieu d'une vie ralentie et discrète, presque clandestine, silencieuse au sein du tumulte d'Alexandrie. Derrière un rideau soulevé apparaît une seconde le visage d'un squatter. La vieille dame se souvient d'être venue ici à un bal costumé 1900. «J'avais des bottes zinzolin. À l'intérieur, c'était un rêve… Quels meubles! Quelles porcelaines!» On a rasé le pavillon de musique, aboli bibelot. Sur le trottoir, un canard tangue devant l'échoppe en carton d'un cordonnier.

Olivier Rolin, *Sept villes*, Rivages, 1988.

«Alexandrie m'intéresse.»

J'étais donc à Alexandrie depuis vingt-quatre heures (sachant déjà que je resterais attaché à mes premiers repères, à mes premières rencontres, tel un âne à son piquet, et qu'à chacun de mes retours je recherchais la jouvence de ces primordiales providences), quand un homme avec un pantalon de jogging et des bourrelets de graisse m'adressa la parole :

«Vous visitez l'Égypte?

— Non, seulement Alexandrie.»

Il sursauta comme si une guêpe l'avait piqué, puis tourna vers moi de gros yeux compatissants. C'était un homme d'une trentaine d'années. Une barbe naissante noircissait ses joues olivâtres.

«Pourquoi pas Assouan ou Le Caire? Ce n'est pas plus cher.

— C'est Alexandrie qui m'intéresse.»

Il n'y avait plus aucune trace de pitié ou de sympathie dans son regard. J'eus l'impression très vite que je le dégoûtais et qu'il aurait aimé m'écraser sous les talons de ses grosses Nike, simplement à cause de ce que je venais de lui dire : «Alexandrie m'intéresse.»

Il s'esclaffa :

«*You, very funny man,* ici, y'a rien à voir, tu m'entends, rien à voir.»

Daniel Rondeau, *Alexandrie*, Nil éditions, 1997

Alexandrie dans la littérature

*Grecs, Italiens, Anglais, Français et Égyptiens bien sûr :
les auteurs inspirés par Alexandrie sont nés dans la ville
ou n'y ont passé que quelques années. Romans, nouvelles,
poèmes, chansons, tous les genres se répondent,
dans toutes les langues et des chefs-d'œuvre marquent
la littérature universelle : Cavafy, Ungaretti, Durrell et,
plus récemment, Edouard Al-Kharrat ont inscrit leurs
noms dans cette grande lignée des écrivains alexandrins.*

Constantin Cavafy (1863-1933)

Tombeau d'Iasès

Je repose ici, moi Iasès, d'entre les
jeunes hommes de cette grande ville le
plus fameux pour sa beauté. Des sages
m'ont admiré, et de même le peuple
superficiel et simple. Et je goûtais
également les deux louanges.

Mais à force de me faire comparer à
Narcisse ou à Hermès, je me suis laissé
user, tuer par les plaisirs. Passant, si tu es
d'Alexandrie, tu ne me blâmeras pas. Tu
connais l'intensité de notre vie, et ses
excessives voluptés.

La Ville

Tu dis : «J'irai vers d'autres pays, vers
d'autres rivages. Je finirai bien par trouver
une autre ville, meilleure que celle-ci, où
chacune de mes tentatives est condamnée
d'avance, où mon cœur est enseveli
comme un mort. Jusqu'à quand mon
esprit restera-t-il dans ce marasme? Où
que je me tourne, où que je regarde, je vois
ici les ruines de ma vie, cette vie que j'ai
gâchée et gaspillée pendant tant d'années.»

Tu ne trouveras pas de nouveaux pays,
tu ne découvriras pas de nouveaux
rivages. La ville te suivra. Tu traîneras
dans les mêmes rues, tu vieilliras dans
les mêmes quartiers, et tes cheveux
blanchiront dans les mêmes maisons.
Où que tu ailles, tu débarqueras dans
cette même ville. Il n'existe pour toi
ni bateau ni route qui puisse te conduire
ailleurs. N'espère rien. Tu as gâché ta vie
dans le monde entier, tout comme tu l'as
gâchée dans ce petit coin de terre.

Les dieux désertent Antoine

Quand tu entendras, à l'heure de minuit,
une troupe invisible passer avec des
musiques exquises et des voix, ne pleure
pas vainement ta Fortune qui déserte
enfin, tes œuvres échouées, tes projets
qui tous s'avérèrent illusoires. Comme
un homme courageux qui serait prêt
depuis longtemps, salue Alexandrie qui
s'en va. Surtout ne commets pas cette
faute : ne dis pas que ton ouïe t'a trompé
ou que ce n'était qu'un songe. Dédaigne
cette vaine espérance... Approche-toi de
la fenêtre d'un pas ferme, comme un
homme courageux qui serait prêt depuis

longtemps; tu te le dois, ayant été jugé digne d'une telle ville... Ému, mais sans t'abandonner aux prières et aux supplications des lâches, prends un dernier plaisir à écouter les sons des instruments exquis de la troupe divine, et salue Alexandrie que tu perds.

Jours de 1909, 1910 et 1911

C'était le fils d'un pauvre hère, d'un petit caboteur d'une île de l'Archipel. Il avait un emploi chez un marchand de ferraille. Ses vêtements étaient usés jusqu'à la corde; ses chaussures de travail étaient déchirées, lamentables; ses mains, tachées de rouille et d'huile.

Le soir, quand il fermait le magasin, s'il désirait ardemment une cravate plutôt chère, une cravate du dimanche, ou s'il avait vu et convoité dans une vitrine une belle chemise bleue, il vendait son corps pour un ou deux thalers.

Je me demande s'il y eut jamais dans la glorieuse Alexandrie antique un jeune homme plus parfaitement beau, un corps plus accompli que le sien. Et tout cela, en pure perte... Bien entendu, on n'a gardé de lui ni statue ni portrait. Échoué dans la misérable boutique du marchand de ferraille, les travaux épuisants et les tristes plaisirs du peuple l'avaient vite usé.

Constantin Cavafy, *Poèmes,*
traduction de Marguerite Yourcenar
et Constantin Dimaras, Gallimard, 1958

Giuseppe Ungaretti (1888-1970)

1914-1915

Je t'ai vue, Alexandrie,
Friable sur tes bases fantomales,
Qui te changeais pour moi en souvenir
Dans un baiser en suspens, de lumières.

À peine disparue, je ne regrettais pas
L'algue vomie par tes eaux caressantes
Qui lègue aux sexes des délires infernaux,
Ni l'infinie et sourde pleine lune
Des soirs arides qui t'assoiffent,
Ni, entourés de chiens hurlants,
Sous une tente sombre,
Les amours et les longs sommeils sur les tapis.

Je suis d'un autre sang, je ne t'ai pas perdue,
Mais dans la solitude du navire,
Je me sentis plus que jamais déçu
Et triste que ce fût toi, l'étrangère,
Ma ville natale. [...]

Giuseppe Ungaretti, *Vie d'un homme,* in
Poésie 1914-1970, traduction de Jean
Lescure pour les Éditions de Minuit,
collection Poésie-Gallimard, 1973

Stratis Tsirkas (1911-1980)

Tout en parlant, il a ouvert la porte et m'a fait sortir sur le balcon. Alors la mer est apparue, brillante et calme à me couper le souffle. Sur le ciel, immobiles, de gros nuages gonflés de lumière. En face, sur l'antique Pharos, la citadelle de Kaït Bey, lourde et muette, se reflétait tout entière dans l'eau, véritable chromo pour touristes. Nous nous sommes penchés pour suivre des yeux la côte dans toute sa longueur, du Port-est jusqu'à Ramleh. J'avais l'impression d'être sur les gradins d'un stade ou d'une arène. Là-bas, à droite, le cap de Silsileh – la Lochias de Strabon, a dit Paraschos – avec les canons camouflés, les projecteurs et les radars contre les attaques aériennes, figurait les vestiaires. Une porte allait s'ouvrir d'où jaillirait le taureau. Et puis, les courbes de la côte, sa féminité, ses hésitations, les golfes qui s'élargissaient soudain et le sable tendre, jaune. Paraschos, le doigt tendu, m'expliquait : «Prends comme point de repère cet immeuble à côté de Silsileh, avec l'enseigne lumineuse puis, plus à l'est, l'hôpital grec sur l'avenue d'Aboukir. Entre eux se situaient les cimetières de Chatby, c'est là que tombent en poussière les os d'Antoine, qui rend à la terre un peu de la substance qu'il lui avait empruntée pour vivre. Il n'a rien emporté avec lui, il n'a rien laissé aux siens – rien que des souvenirs.»

Il a poursuivi :

— Eh, si Antoine se levait, avec son bâton, ses bottes ferrées, sa démarche lourde, combien son cœur se réjouirait à contempler l'Alexandrie d'aujourd'hui, telle qu'il l'avait prédite. Je le vois satisfait, lisser ses moustaches, frotter sa nuque ridée. «Têtes de linotte, nous disait-il, mettez-le bien dans votre caboche, ici, nous ne sommes que des invités, qu'est-ce que vous croyez? Nous sommes venus, nous nous sommes bien installés, nous avons fait des enfants et des petits-enfants. Bon. Mais le propriétaire dormait. Non? Il faut le réveiller, il me semble. Il faut lui demander la permission. Afin qu'il nous dise : soyez les bienvenus; afin que la justice soit rétablie, afin d'avoir l'âme en paix. Parce que s'il se réveille un jour et qu'il nous trouve installés ici, il nous donnera un coup de pied dans les fesses et il nous jettera à la mer. Et nous ne pourrons pas dire un mot car il aura raison. N'écoutez pas les ronds-de-cuir et les porteurs de faux-cols. Eux, ce sont des Occidentaux. Ils parlent français chez eux, ils fréquentent les Occidentaux, ils raisonnent à l'occidentale. Leur tête est toute à l'argent : arracher n'importe quoi, aller le croquer en Europe. Ce pays n'est pas le leur, ils ne s'en soucient pas. Cette terre est une grosse femelle pleine d'œufs, comme les mulets qui

descendent, en août, vers la mer et que nous pêchons à l'épervier. Mais pour la féconder et qu'elle ponde, elle exige de la puissance, il faut haleter sur elle, se crever de fatigue. Comment y parviendrions-nous, nous les hôtes? Elle réclame ses maîtres. Donnez-la leur, elle leur appartient, et vous verrez. Ils rempliront toute la côte de petits bonshommes, ils construiront des immeubles et des usines, des écoles et des théâtres, ils perceront des rues et des ruelles, ils ouvriront des cafés où s'asseoir et boire leur mastika et parler avec Dieu. Ils planteront des parcs. Tout ce jaune sera couvert de fez rouges et de haïks noirs, comme le désert s'emplit de coquelicots à chaque printemps.»

Stratis Tsirkas,
Cités à la dérive, Le Seuil, 1971

Lawrence Durrell (1912-1990)

Par ici il n'aurait pas une chance sur cent d'être reconnu car peu d'Européens s'aventuraient dans cette partie de la ville. Le quartier qui s'étendait au-delà de la ceinture de lanternes rouges, habité par de petits commerçants, des changeurs, des trafiquants de café, des fournisseurs de la marine, des contrebandiers; dans la rue, on avait l'impression que le temps était étalé, pour ainsi dire, comme une peau de bœuf; là, c'était la carte du temps que l'on pouvait lire d'un bout à l'autre, en la jalonnant de points de repère connus. Cet univers du temps musulman remontait à Othello et au-delà – cafés où retentissaient tout au long du jour les roulades des oiseaux dans des cages garnies de miroirs pour leur donner l'illusion de la compagnie. Chants d'amour que les oiseaux dédiaient à des compagnons imaginaires – et qui n'étaient que des reflets d'eux-mêmes!

Déchirantes mélodies qui étaient l'illustration de l'amour humain! Là encore, dans la lugubre et tremblotante clarté que répandaient les flammes de naphte, de vieux eunuques jouaient au tric-trac en fumant leurs longs narguilés qui gargouillaient à chaque bouffée comme des sanglots de colombes; les murs des vieux cafés luisaient de la sueur des tarbouches accrochés aux patères; leurs collections de narguilés multicolores étaient rangées dans de longs râteliers, comme des fusils, et chaque fumeur apportait son embout personnel auquel il tenait comme à un objet particulièrement précieux. [...]

Il se sentait maintenant parfaitement à l'aise dans sa peau; il s'était accommodé de cette ébriété inhabituelle et il ne sentait plus qu'il était ivre; il n'éprouvait plus qu'une sensation d'immense dignité qui lui donnait une superbe aisance de gestes. Il allait lentement, gravement, comme une femme enceinte approchant du terme, et se grisait de spectacles et de sons. [...]

Flânant à nouveau dans les rues de la capitale d'été, allant sous la lumière du printemps, sous le ciel sans nuages, le long de la mer bleue, incessante – rêvant tout éveillé – j'étais comme l'Adam des légendes du Moyen Âge : un homme dont le corps est composé de tous les éléments du monde, dont la chair est la terre, dont les pierres sont les os, les fleuves et les vagues : le sang, dont les herbes forment les cheveux, dont la lumière est la vue, dont le vent est le souffle et les pensées sont les nuages. Je me sentais sans pesanteur, comme après une longue maladie dévastatrice, et je flottais à la dérive au-dessus des laisses de Maréotis et des traces toujours visibles de ses anciens appétits, de ses antiques et éternels désirs : une cité plongeant ses racines dans l'Histoire, aux cruautés intactes, assise entre un désert et un lac. Et tout en marchant, j'avais l'impression de tirer les rues de ma mémoire, de faire surgir ces sillons qui rayonnaient comme les branches d'une étoile de mer autour de son axe : le tombeau de son fondateur. Bruits de pas éveillant leurs échos enfouis... Des scènes et des conversations oubliées m'assaillaient tout à coup, surgies des murs, des tables de cafés, des chambres closes aux plafonds écaillés. Alexandrie, princesse et catin. Ville royale, *anus mundi*... Elle ne changerait pas tant que les races continueraient à fermenter ici comme du moût dans une cuve; tant que les rues et les places continueraient à dégorger la fermentation de toutes ces passions, ces rancunes, ces rages et ces calmes subits. Un désert fertile d'amours humaines jonché des ossements blanchissants de ses exilés. Hauts palmiers et minarets se mariant dans le ciel. Un essaim de demeures blanches bordant ces ruelles de boue à l'abandon, agacées tout au long de la nuit par la musique arabe et les cris des filles qui se dépouillaient si facilement du fardeau encombrant de leur corps (qui les démangeait) et offraient à la nuit des baisers passionnés auxquels l'argent n'ôtait pas la saveur. [...]

Toute une nouvelle géographie d'Alexandrie se découvrait à travers Clea, ravivant d'anciennes significations, rajeunissant des sensations à demi oubliées, déposant comme une nouvelle couche de couleur vive sur une ancienne histoire, une ancienne biographie. Souvenir de petits cafés le long du bord de mer où nous nous attardions sous les marquises de toile rayée qui voletaient doucement sous la brise de minuit, en regardant la lune cuivrée se lever sur le

Delta et enflammer nos verres. Soirées à l'ombre d'un minaret, ou sur un banc de sable illuminé à la flamme vacillante d'une lampe à huile. Nous allions cueillir des brassées de fleurs printanières au Cap des Figues – cyclamens éclatants, éclatantes anémones. Ou bien nous partions ensemble visiter les tombeaux de Kom El Shugafa, respirer les humides exhalaisons de l'obscurité que dégageaient ces étranges lieux de repos d'Alexandrins morts depuis longtemps; tombeaux taillés dans un sol brun comme du chocolat, empilés les uns sur les autres, comme des couchettes dans un navire. Sépulcres suffocants, air putride, humidité glacée qui vous pénétraient jusqu'aux os.

Lawrence Durrell,
Le Quatuor d'Alexandrie, 1962,
extraits de «Mountolive» et de «Cléa»,
traduction de R. Giroux,
Buchet-Chastel, 1963

Dans Alexandrie

Le vent dans les prismes, toute la soirée,
de nouveau :
Seul de nouveau, éveillé de nouveau
dans la maison de Sufi,
Gêné par cet amour qui ne passe pas,
Serré comme une cartouche dans
sa culasse,
Quittant le lit avec son coussin cabossé,
Les souliers attentifs et mariés au sol.

La vie est-elle plus que la somme
de ses erreurs?
Baignoires de chair claire, femmes
égyptiennes :
Faveurs, khôl, goût de la graine chez
le nègre,
Poivre ou citron, brisure de la dent
Contre la tige qui geint du céleri.
Bien plus tard vient le petit coup contre
la paroi.

Le corbeau dans la propriété;
À quatre heures trente l'odeur du satin
et du cuir;
La pluie qui tombe sur le miroir
par-dessus
Les récipients fous, pêle-mêle
de parfums et de fards,
Et la sensation d'un grand scandale
imminent.

Lawrence Durrell, *Poèmes*, traduction
d'Alain Bosquet, Gallimard, 1966

Naguib Mahfouz (né en 1912)

Je me retrouve devant le grand immeuble, comme devant un vieux visage gravé dans ma mémoire, je le connais bien mais lui a le regard vague, il me regarde avec indifférence et ne me reconnaît pas. La peinture qui couvre les murs s'est écaillée sous l'effet de l'humidité. L'immeuble surplombe une langue de terre bordée de palmiers et de dattiers qui s'avance profondément dans la Méditerranée; c'est là qu'on entend les coups de feux durant la saison de la chasse. Le vent frais et fort courbe ma petite taille fragile et voûtée qui ne peut plus faire face comme au bon vieux temps.

Marianna! Ma chère Marianna, j'espère te retrouver, comme je l'ai tant souhaité dans ta citadelle historique, sinon, «que la paix soit sur moi». Il ne me reste plus beaucoup à vivre et la vie se répète bizarrement devant mes yeux fatigués surmontés de sourcils blancs peu fournis.

Alexandrie, me voilà enfin de retour.

J'ai sonné à la porte de l'appartement du quatrième. Le vasistas de la porte s'est ouvert laissant apparaître le visage de Marianna. «Tu as beaucoup changé, ma chère.» Elle ne m'a pas reconnu dans l'obscurité du couloir; son teint clair et ses cheveux blonds brillent sous la lumière de la fenêtre.

«C'est bien la pension Miramar?

— Oui, Effendi.

— Je voudrais une chambre, s'il vous plaît.»

La porte s'est ouverte. Une statue de la Vierge en bronze m'a accueilli. J'ai senti cette odeur particulière que je recherchais autrefois. Nous sommes restés debout à nous regarder. Elle est grande, svelte, blonde, se porte plutôt bien malgré son dos voûté; ses cheveux sont sûrement teints, ses mains décharnées et les commissures de ses lèvres dénoncent son âge.

«Tu as soixante-cinq ans maintenant ma chère, et malgré cela la splendeur ne t'as pas complètement abandonnée. Mais te souviens-tu de moi?»

Elle m'a d'abord regardé avec la curiosité d'une commerçante, puis après m'avoir dévisagé attentivement ses yeux se sont troublés. «Ah! Voilà que tu te souviens de moi! Et que je retrouve mon existence perdue!»

«Oh! Vous!

— Madame!»

Nous nous sommes serré la main chaleureusement. Elle était très émue; elle a éclaté de rire à la manière des femmes d'al Anfuchi :

«Ce n'est pas possible! Amer Bey! Monsieur Amer! Ha, ha, ha…»

Naguib Mahfouz, *Miramar,* 1967,
traduction de Fawzia Al Ashmawi
Abouzeid, Denoël, 1990

Edouard Al-Kharrat (né en 1926)

Le ciel au-dessus de moi était devenu immense et effrayant, il portait la mort au sein de sa voûte, une mort aux coups précis, lourds et définitifs. La lumière rayonnante de la lune avait quelque chose de cruel. Puis les projecteurs se mirent à lancer leurs longs glaives mouvants de lumière coupante, à partir de différents endroits de la ville; ces faisceaux tournaient dans l'immensité bleue, comme soyeuse, se croisant, se rapprochant, se dissociant, leurs pinceaux se rencontrant un instant pour se concentrer sur un seul point étincelant, puis se démultipliant à nouveau, explorant le creux de la voûte close du ciel, recherchant une cible qui leur échappait toujours; cependant des fusées sifflantes étaient tirées sans interruption, pour éclater en fleurs rouges de couleur métallique, qui se dispersaient et s'éteignaient très vite; on percevait, malgré la distance et l'altitude, le bruit du moteur de l'avion au milieu des détonations des batteries de la défense aérienne; tout cela sur un fond de silence qui faisait de la ville une étendue transparente, d'Anfouchi à Mandara et à Montazah, de Gheyt-el-Enab à Labbân, à Ras-el-Tin et à Anastase, de Glimo et de Zizinia à Stanley et à Nozha, de Sidi Gâber, de Sidi Bishr, et de Bacchus à Smouha et au Meks, et de la gare du Caire à Mustafa Pacha, jusqu'à la Ferme des pêcheurs; tous les points d'Alexandrie se trouvaient ainsi exposés et mis à nu, à peine recouverts par le réseau de rayons qui poignardaient le ciel.

Cette nuit-là, la torpille qui tombait de l'avion italien, au-dessus du tombeau de Sidi Aboul-Derdâr, ne toucha jamais le sol.

Des témoins oculaires déclarèrent plus tard que, pendant que l'énorme masse tombait en tournoyant, le bout pointu dirigé vers la terre, brillant sous la clarté lunaire avec un éclat cruel, la coupole verte du tombeau s'était fendue, derrière les pampres feuillus qui l'entouraient, puis s'était immédiatement refermée;

la présence vénérable du Saint s'était élevée au-dessus de la coupole, sauvant sa famille et tous les enfants de la ville blanche qu'il protégeait; l'ample burnous marocain de couleur blanc crème s'était étendu comme deux ailes, son visage qui ressemblait à la pleine lune éclipsant celle qui était au ciel; son rayonnement était éblouissant, et son ascension était accompagnée de parfums de musc et d'ambre venus du fond du tombeau toujours clos; il avait écarté ses bras lumineux très largement et reçu dans son sein la terrible torpille, lancée comme la foudre, et voici qu'elle s'était changée en paix et en fraîcheur; puis il avait pris son vol, et, en un clin d'œil, il l'avait emportée loin de là sur une colline boisée et déserte; il l'avait délicatement déposée sur le sol, couchée sur le flanc et l'avait dépouillée de toute sa puissance destructrice; la masse de métal, désormais froide et morte, posée au milieu des arbres touffus, fut découverte par les gens qui, le lendemain matin, vinrent en foule à cet endroit; ils la démontèrent sans mal, en toute tranquillité, chacun en emportant un fragment, morceau de ferraille qui porterait bonheur et resterait comme souvenir; lorsque les hommes de la Territoriale vinrent à leur tour et isolèrent la zone, il ne restait plus de la terrible torpille que des petits morceaux de fer-blanc et un tas de poudre froide et émiettée qui ressemblait à du poivre rouge pilé.

Edouard Al-Kharrat,
Alexandrie, terre de safran, traduction
de Luc Barbulesco, Julliard, 1990

Robert Solé (né en 1946)

Allongée à plat ventre sur le sable humide, un peu étourdie par le soleil de midi, Lola rêvassait. Des vagues mourantes venaient lécher ses pieds, ses mollets, montaient parfois jusqu'à ses cuisses, faisant frissonner d'aise tout son corps. Elle était belle à croquer et commençait à le savoir. [...]

Tout le monde se connaissait sur cette plage de Glymenopoulo colonisée par les Syriens, alors que les juifs occupaient celle de Stanley toute proche. On se sentait chez soi, entre soi. Au point de s'étonner à haute voix si une famille copte ou musulmane avait le mauvais goût de venir y planter son parasol.

Lola adorait ces grandes vacances à Alexandrie. Des semaines à l'avance, elle avait rêvé à l'entrée en gare de Sidi Gaber et à l'énorme taxi noir, tout fumant, qui les conduirait à la villa. Dans sa chambre, elle retrouvait ses vieux jouets sagement à leur place. Elle les caressait, les reniflait y posait parfois sa langue pour s'assurer de leur goût de sel. Puis, suivie de Viviane, elle courait jusqu'aux maisons voisines rejoindre cousins et amis... [...]

Le premier dimanche d'août, les enfants participaient à la traditionnelle visite chez les cousins Touta de Sidi Bishr. C'était la branche alexandrine de la famille – «la branche des timbrés», disait Georges, en soulignant que son beau-frère Edmond avait de qui tenir.

Ils étaient onze frères et sœurs à qui leurs parents avaient tous donné des noms pharaoniques. Sésostris, l'aîné, promu bey à moins de quarante ans, s'était mis en tête d'habiter dans un paquebot. Ce haut fonctionnaire avait fait construire une maison en forme de navire, d'une trentaine de mètres de long, face à la mer. Tout y était, du pont à la coursive, en passant par les échelles, les passerelles et les écoutilles.

Sésostris bey, coiffé d'un casque

d'amiral, recevait sur la dunette.
Ses sœurs Isis et Néphtys offraient
des gâteaux et des boissons aux enfants.
Ceux-ci, ravis, avaient le droit de scruter
la mer avec les grosses jumelles
du maître de maison.

Tous les cochers de Ramleh
connaissaient l'adresse. Il suffisait de dire :
— Nous allons chez Sésostris bey.

La voiture traversait des rues
paisibles, bordées de tamaris, derrière
lesquels somnolaient de vastes maisons
à *moucharabeyas,* noyées dans la verdure.
Le timbre du fiacre trouait le silence,
répondant parfois à la plainte d'un
cocher voisin. Les enfants fermaient
les yeux pour mieux goûter le parfum
des algues. Alexandrie, en ce temps-là,
sentait la mer et le jasmin.

Robert Solé, *Le Tarbouche,*
Le Seuil, 1992

Georges Moustaki (né en 1934)

Alexandrie

Je vous chante ma nostalgie
ne riez pas si je rougis
mes souvenirs n'ont pas vieilli
j'ai toujours le mal du pays

ça fait pourtant vingt-cinq années
que je vis loin d'où je suis né
vingt-cinq hivers que je remue
dans ma mémoire encore émue

le parfum les odeurs les cris
de la cité d'Alexandrie
le soleil qui brûlait les rues
où mon enfance a disparu

le chant la prière à cinq heures
la paix qui nous montait au cœur
l'oignon cru et le plat de fève
nous semblaient un festin de rêve

la pipe à eau dans les cafés
et le temps de philosopher
avec les vieux les fous les sages
et les étrangers de passage

Arabes Grecs Juifs Italiens
tous bons Méditerranéens
tous compagnons du même bord
l'amour et la folie d'abord

je veux chanter pour tous ceux qui
ne m'appelaient pas Moustaki
on m'appelait Jo ou Joseph
c'était plus doux c'était plus bref

amis des rues ou du lycée
amis du joli temps passé
nos femmes étaient des gamines
nos amours étaient clandestines

on apprenait à s'embrasser
on n'en savait jamais assez
ça fait presque une éternité
que mon enfance m'a quitté

Elle revient comme un fantôme
et me ramène en son royaume
comme si rien n'avait changé
et que le temps s'était figé

Elle ramène mes seize ans
et me les remet au présent
pardonnez-moi si je radote
je n'ai pas trouvé l'antidote

pour guérir de ma nostalgie
ne riez pas si je rougis
on me comprendra j'en suis sûr
chacun de nous a sa blessure

son coin de paradis perdu
son petit jardin défendu
le mien s'appelle Alexandrie
et c'est là-bas loin de Paris.

Georges Moustaki, *En ballades,
De 1976 à aujourd'hui,*
Éditions Christian Pirot, 1996

Les cimetières d'Alexandrie

Tout comme les cimetières antiques, puis musulmans, les cimetières latins ont été installés hors les murs, durant le XIXᵉ siècle. Divisés en deux par la rue Anubis, ils s'étendent sur plus de 18 hectares, poumon vert que menace la pression urbaine de la cité du XXIᵉ siècle. Là se côtoient Juifs, libres-penseurs, Coptes, Arméniens, anglicans, Grecs, catholiques.

Les cimetières de l'ouest, du nord au sud

[...] Ce qui caractérise tout particulièrement le cimetière juif est qu'il concentre, si l'on en croit les inscriptions (la plupart en italien), les valeurs morales et intellectuelles les plus pures d'Alexandrie. Les «madres sublimes», et les «pères tendres et affectueux», ne peuvent se compter, mais le visiteur le plus sceptique au sujet des qualités humaines demeure impressionné par «X, uomo laborioso e onesto, marito e padre affettuosissimo», par «X, exemple de nobles vertus de foi, de bonté et de résignation», par «X, persona distinta e filantropica», etc. [...]

Le Old British Protestant Cemetary, consacré par l'évêque de Jérusalem le 28 avril 1916, un peu délaissé, laisse supposer, par son petit nombre de tombes, que des rapatriements ont eu lieu, mais les vides entre les tombes sont comblés par une végétation si touffue qu'on pourrait se croire en quelque jardin botanique. [...]

Le «Cimetière de la Communauté grecque d'Alexandrie» est, en termes de monuments, le mot n'est pas exagéré, le plus somptueux de tous : dès l'arrivée en voiture de l'aéroport, on est frappé par ce qui, dépassant le sommet du mur d'enceinte, paraît être une *tholos*, mais qui s'avère être une copie assez fidèle du monument chorégique de Lysicrate, à Athènes; lui, du moins, a conservé son trépied de bronze. C'est aussi la dernière demeure d'Emmanuel Kasadagli. [...]

On ne finirait pas de décrire ces monuments (colonnades, temples miniatures, église de village grec, anges à foison) dont le principal mérite est de souligner la simplicité de la dalle funéraire sous laquelle repose, auprès des siens, mais isolé, Constantin Cavafy. Pas de date de naissance, seulement celle de son décès : Alexandrie, 28 avril 1933. Et sous son nom, un seul mot : «poète».

Le «Cimetière de la Communauté grecque catholique» est aussi petit que sobre. Son originalité, assez inattendue, est d'héberger des noms patronymiques qui évoquent l'Antiquité. Inutile d'insister sur «Faraone», ni même sur «Hermès», dont les attributions furent fort révérées par la seconde Alexandrie, mais «Sotiriou» retient plus l'attention : le Phare fut dédicacé par Sostrate de Cnide aux «dieux sauveurs».

Sorti de là, il convient de se faire ouvrir les portes de l'immense «cimitero latino di Terra Santa» par son gardien, un frère franciscain italien (jeans et chemisette), qui s'y trouve – fort bien – depuis vingt ans, y élève ses chiens et assure en souriant qu'il mourrait de chagrin s'il devait quitter son cher cimitero. [...]

À l'entrée du cimetière, à droite, un sarcophage antique abrite Joseph Botti, illustre archéologue et premier conservateur du Musée gréco-romain de la cité. Plus loin, sous les obélisques, les chérubins et les pyramides, reposent des Alexandrins dont les noms forment une sarabande que même Durrell, qui devait pourtant les connaître, n'aurait pas osé «utiliser» dans son œuvre (on ne l'aurait pas cru) : Brillet, Dentamaro, Enriquez, Sidarouss, Tron, Gallo, Grill Sivitz, Imperadore, Trad, Buccianti, Jacopech, Recoulin, Degiardé, Gebeyli, Ablitt, Darmenia Macdonald...[...]

Les cimetières de l'est, du sud au nord

[...] Le cimetière arménien renferme une église et une chapelle du plus pur style de la lointaine patrie, mais celles-ci ne valent pas, à mes yeux, son vrai titre de gloire : celui d'y voir éclater le feu des plus beaux flamboyants.

Ainsi qu'il se doit, presque toutes les épitaphes sont écrites en caractères arméniens mais il y a des exceptions, dont l'une est celle de la famille Vartanian – portique grec en (fausse) ruine et l'autre la singulière épitaphe suivante : «Ci-gît Hovsep. A. Tcherkesian né à Amassia (Turquie). L'An 1839. Installé à Alexandrie en 1874 où il fonda la première Maison de ficelles. – Décédé en état de garçon à Alexandrie le 26 décembre 1898». Un rouleau de ficelle, en marbre, orne la tombe.

À côté, le «Cimetière grec orthodoxe égyptien» ne se distingue des autres que par son exiguïté et sa pauvreté incolore.

Faut-il ranger son voisin, le «War Memorial Cemetery 1914-1918», cimetière exclusivement militaire dans la mémoire d'Alexandrie, sous prétexte qu'il ne parle pas de guerre? La guerre aussi, hélas, fait partie de cette mémoire, où figure aussi la Seconde Guerre mondiale. [...]

Le «British Protestant Cemetary» qui suit est pratiquement désert, et de nombreuses tombes demeurées ouvertes font à nouveau songer à des rapatriements, massifs cette fois.

Le «Cimetière orthodoxe égyptien», que ses inscriptions en caractères arabes désignent comme copte, est dépourvu de tout caractère.

Son voisin, le dernier, est juif. À l'exception du mausolée de la famille Habib de Toledano, il ne se distingue que peu du précédent : mêmes noms et épitaphes analogues.

Alexandrie est dotée de diverses mémoires; celle léguée par les historiens grecs et romains, à laquelle viennent s'ajouter les produits des fouilles et de l'érudition; celle que nous ont léguée les poètes et les romanciers, Cavafy, Tsirkas, Forster, Durrell – mais cette mémoire-là concerne peut-être une Alexandrie plus vraie, ou plus fausse, que nature, une Alexandrie rêvée. La vraie mémoire de la seconde Alexandrie, c'est dans ses cimetières, gardés par des Anubis jaunes généralement débonnaires, qu'il faut la chercher.

Lucien Basch,
«Les Jardins des morts»,
in «Alexandrie en Égypte»,
Méditerranéennes, 8/9,
automne 1996

LA BIBLIOTHECA ALEXANDRINA

La Bibliotheca alexandrina est née de l'idée de deux professeurs de l'Université d'Alexandrie qui, en 1974, ont cherché le moyen de redonner un peu d'éclat à leur cité. Leur ténacité leur a valu d'être peu à peu entendus des autorités et d'obtenir l'appui de l'UNESCO. En 1988, la première pierre était posée ; en 1989, des architectes norvégiens de la société Snohetta sortaient vainqueurs d'un concours international avec un projet original et, en 1990, l'Égypte organisait une réunion fondatrice à Assouan pour réunir les premiers. Les pays arabes du Golfe et l'Iraq furent parmi les plus généreux donateurs et 65 millions de dollars furent collectés.

Le bâtiment s'élève sur le site des palais des Ptolémées, non loin de l'endroit où s'élevait la grande bibliothèque antique. Le symbole du lien avec le passé est mis en valeur, parfois de manière remarquable, puisque les discours officiels parlent aussi d'un « nouveau phare du savoir » !

Le projet architectural est exceptionnel à la fois par son caractère impressionnant et par sa réussite esthétique. Un bâtiment circulaire de 502 mètres de circonférence, qui descend à 12 mètres au-dessous du niveau de la mer voisine, prend la forme du soleil levant. Dans l'enceinte de granite gris, à toute heure du jour, le soleil accroche les caractères gravés des écritures du monde entier. À l'intérieur du bâtiment, 600 colonnes de béton s'élancent vers un chapiteau évasé qui rappellent les colonnes papyriformes des anciens temples égyptiens, dans une seule salle de lecture immense avec un éclairage naturel indirect et de nombreux points de vue sur la Méditerranée.

Le contenu est encore largement à constituer : les collections actuelles contiennent 250 000 volumes acquis depuis 1990, pour une capacité de stockage de 8 millions de livres. On notera aussi un bel ensemble de manuscrits arabes empruntés aux différentes bibliothèques d'Alexandrie, et d'archives aussi, comme celles de la société du Canal de Suez.

Un planétarium, un musée de la science et un musée d'antiquités (avec des objets rassemblés de plusieurs musées égyptiens et les magnifiques mosaïques trouvées in situ à l'occasion des fouilles du terrain lors des fondations) complètent l'ensemble. On parle aussi d'ériger devant la Bibliotheca la statue colossale en granite d'un Ptolémée trouvée sur le site monumental au pied du fort de Qaitbay, de l'autre côté de la baie, à l'endroit où s'élevait le Phare.

La Bibliotheca alexandrina est placée sous le patronage de Madame Moubarak. Présidée par Monsieur Sagag El-Dine (ancien vice-président de la Banque mondiale), elle est en de bonnes mains et saura sans doute devenir une grande bibliothèque et attirer les lecteurs.

Jean-Yves Empereur

BIBLIOGRAPHIE

Histoire

- Sur les découvertes archéologiques récentes, voir la collection *Études alexandrines* (5 volumes parus) aux presses de l'IFAO, Le Caire, et le site www.cea.com.eg.
- Cannuyer, Christian, *L'Égypte copte, les chrétiens du Nil,* Découvertes Gallimard, 2000.
- Empereur, Jean-Yves, *Alexandrie redécouverte,* Fayard, 1998.
- Empereur, Jean-Yves, *Le Phare d'Alexandrie,* Découvertes Gallimard, 1998.
- *La Gloire d'Alexandrie*, Catalogue de l'exposition, Musée du Petit Palais, Paris, 1998.
- Ilbert, Robert, *Alexandrie 1830-1930 : histoire d'une communauté citadine,* IFAO, 1996.
- Ilbert, Robert, Yannakakis, Ilios *et alii,* *Alexandrie 1860-1960. Un modèle éphémère de convivialité : communautés et identité cosmopolite,* Autrement, série Mémoires, n° 20, décembre 1992.

- Jacob, Christian, Polignac, François de *et alii,* *Alexandrie IIIe siècle av. J.-C. : tous les savoirs du monde ou le rêve d'universalité des Ptolémées,* Autrement, série Mémoires, n° 19, novembre 1992.

Témoignages

Chaque année voit la publication de plusieurs livres de mémoires de la part d'anciens Alexandrins exilés à la suite des expulsions et des nationalisations qui ont suivi la révolution de 1952. Nous en avons choisi trois, parmi beaucoup d'autres.
- Aciman, André, *Adieu Alexandrie,* Stock, 1996.
- Mahassen, Rega, *Hier encore à Alexandrie,* Rochat-Baumann, 1995.
- Zananiri, Gaston, *Entre mer et désert,* Le Cerf, 1996.

Littérature

- « Alexandrie en Égypte », *Méditerranéennes,* 8/9, automne 1996.
- Al-Kharrat, Edouard, *Alexandrie, terre de safran,* Babel, 1997.

- Berchet, Jean-Claude, *Le Voyage en Orient, anthologie des voyageurs français dans le Levant au XIXᵉ siècle*, collection «Bouquins», Robert Laffont, 1985.
- Cavafy, Constantin, *Poèmes*, Gallimard, 1958.
- Cialente, Fausta, *Les Quatre Filles Wieselberger*, Rivages, 1986.
- Delord, Philippe, *Alexandrie, sur les pas de Louis-François Cassas*, Gallimard, 2001.
- Durrell, Lawrence, *Poèmes*, Gallimard, 1966.
- Durrell, Lawrence, *Le Quatuor d'Alexandrie*, Buchet-Chastel, 1997.
- Forster, E. M., *Alexandrie*, Quai Voltaire, 1990.
- Forster, E. M., *Pharos et Pharillon, une évocation d'Alexandrie*, Quai Voltaire, 1980.
- Jacques, Paula, *Un baiser froid comme la lune*, Mercure de France, 1983.
- Mahfouz, Naguib, *Miramar*, Denoël, 1990.
- Plutarque, *Vies parallèles*, collection «Bouquins», Robert Laffont, 2001.
- Rolin, Olivier, *Sept Villes*, Rivages, 1988.
- Rondeau, Daniel, *Alexandrie*, Folio-Gallimard, 2000.
- Solé, Robert, *Le Tarbouche*, Point-Seuil, 1995.
- Strabon, *Le Voyage en Égypte*, traduction de Pascal Charvet, préface de Jean Yoyotte, commentaires de J. Yoyotte et P. Charvet,

postface de Stéphane Gompertz, Nil Éditions, 1997.
- Tsirkas, Stratis, *Cités à la dérive*, Point-Seuil, 1993.
- Ungaretti, Giuseppe, *Vie d'un homme. Poésie 1914-1970*, Poésie/Gallimard, 1981.
- *Les Voyageurs arabes*, sous la direction de Paule Charles-Dominique, «Bibliothèque de la Pléiade», Gallimard, 1995.

Photographie et Cinéma
- *Alexandrie pourquoi? (Eskanderya leh?)*, film de Youssef Chahine, 1978.
- *Alexandrie encore et toujours (Eskanderya kamen we Kamen)*, film de Youssef Chahine, 1990.
- *La Septième Merveille du monde*, film de Thierry Ragobert et Andrew Snell, France 2 et Gédéon Programmes, 1995.
- *Alexandrie la Magnifique*, film de Thierry Ragobert, France 2 et Gédéon Programmes, 1998.
- *Alexandrie revisitée*, photographies de Tony Catany, Anne Favret, Patrick Manez, Bernard Guillot, Nabil Boutros, Gilles Perrin, Reza, texte de Jacques Hassoun, éditions Revue noire, 1998.
- *Alexandrie l'Égyptienne*, photographies de Carlos Freire, texte de Robert Solé, Stock, 1998.

24b Statue du taureau Apis, v. 130 av. J.-C, basalte. MGRA.

25 Statue du dieu Sarapis provenant de la ville de Théadelphie dans le Fayoum, IIe s. av. J.-C., bois de sycomore. MGRA.

26h Sarcophage surmonté d'une scène de momification, fin Ier s. apr. J.-C., catacombes de Kôm el-Chougafa.

26b Lampe représentant Aphrodite dans le temple d'Hathor, IIe s. av. J.-C., terre cuite. MGRA.

27h Fragment d'une plaque de marbre présentant une dédicace à Isis, Sarapis et Hermès faite par un dénommé Libys (le «Libyen»), IIe s. av. J.-C. Dépôt de fouilles du Conseil suprême des Antiquités, Shallalat.

27b Le serpent Agathos Daimon, calcaire, IIe s. apr. J.-C. MGRA.

28h Scène de banquet sous un dais, mosaïque romaine, IIe s. apr. J.-C. MGRA.

29 Tanagras provenant de différentes sépultures, IIIe s. av. J.-C., terres cuites avec traces de polychromie. MGRA.

30h Tête d'esclave nubien, époque ptolémaïque, bronze. MGRA.

30b Lampe représentant une scène de gymnase, Ier s. av. J.-C., terre cuite, hauteur : 12 cm. MGRA.

31 Statue en pied du propriétaire d'un des hypogées de Kôm el-Chougafa, fin Ier s. apr. J.-C.

32 Un des hypogées collectifs de la Nécropolis, Alexandrie, IIIe s. av. J.-C.

32-33 Intérieur d'une des six tombes dégagées du cimetière d'Anfouchi, IIe s. av. J.-C.

33b Partie supérieure du sarcophage de Dioscouridès, IIe s. av. J.-C., nécropole de Saqqarah, Memphis. Musée du Louvre, Paris.

34h Graffito représentant le navire égyptien Isis, IIIe s. av. J.-C., provenant des fouilles de Nympheion. Musée de l'Ermitage, Saint-Pétersbourg.

34b Gobelet aux amours vendangeurs, Ier s. apr. J.-C., argent et feuilles d'or, MGRA.

35g Amphores, Ier s. av. J.-C., fouilles sous-marines en cours du CEA-CNRS.

35d Inventaire de la cargaison du bateau *Hermapollon* en provenance de Muziris (Inde), IIe s apr. J.-C., papyrus, publié par D. Rathbone, *Bull. Soc. Arch. Alex.* 46, 201, pp. 31-50. Bibliothèque nationale d'Autriche, Vienne.

36g Le Phare d'Alexandrie, aquarelle de Jean-Claude Golvin.

36d Le Phare d'Alexandrie, monnaie en bronze du règne de Commode, 180-192. Bibliothèque nationale de France, Paris (BnF).

37 Gobelet en verre trouvé à Begram, fin Ier s. apr. J.-C. Musée archéologique, Kaboul.

38 J.-B. de Champaigne, *Ptolémée II Philadelphe s'entretenant avec des savants juifs et se faisant expliquer la bible des Septante dans la bibliothèque d'Alexandrie*, Salon de 1673. Voussure du plafond du Salon de Mercure, Châteaux de Versailles et de Trianon.

39h Règlement de la Bibliothèque de Pantainos, v. 100 apr. J.-C. Musée de l'Agora, Athènes.

39b «Les traducteurs de la Bible à Pharos», gravure, XVIIe s. BnF.

40-41 *L'Art d'Eudoxe*, traité d'astronomie, papyrus, IIe s. av. J.-C. Musée du Louvre, Paris.

40b Profil de tête masculine, IIe s. av.-Ier s. apr. J.-C., papyrus, publié par C. Gallazzi, B. Kramer, « Artemidor im Zeichensaal, Eine Papyrusrolle mit Text, Landkarte und Skizzenbüchern aus späthellenistischer Zeit », *Archiv für Papyrusforschung* 44, 1992, pp. 189-208. Coll. part.

41b Figures d'animaux, *idem*.

42 Bœufs actionnant une roue à godets, peinture murale de la Nécropolis, Ier-IIe s. apr. J.-C. MGRA.

43h «Eolipile : appareil mettant en évidence la force motrice de la vapeur d'eau», miniature extraite du manuscrit grec copié et dessiné par Ange Vergèce,

le *Spiritualium,* du mathématicien et physicien grec Héron d'Alexandrie, XVIe s. BnF.

43b Portes automatiques d'un temple, reconstitution. Musée des Techniques, Thessalonique.

44h Statuette d'acteur, faïence, 2e moitié du IIIe s. apr. J.-C. MGRA.

44b Mosaïque de pavement, IIe s. av. J.-C. Musée de la Bibliotheca alexandrina.

45 Danseuse, Ier s. - déb. IIe s. apr. J.-C. (?), style hellénistique, bronze d'applique provenant du site d'Industria, Italie, hauteur : 42 cm. Musée des Antiquités, Turin.

46 Masque de théâtre représentant Dionysos, verre polychrome, Ier s. av. J.-C. Vente Christie's, Londres (juillet 1993).

47h Masque de théâtre représentant le vieux satyre Silène. *Idem.*

47b Le faucon Horus. *Idem.*

48h Monnaie romaine frappée après la conquête de l'Égypte, 28 av. J.-C. British Museum, Londres.

48b Tête d'Auguste, Ier s. apr. J.-C., marbre blanc. MGRA.

49 Profil de Cléopâtre, bas-relief ptolémaïque, temple de Kôm Ombo, Égypte.

CHAPITRE 2

50 Saint Marc et ses 35 successeurs, VIe-déb. VIIe s., ivoire, Alexandrie ou Byzance. Musée

crayon blanc sur papier bleu. Musée des Beaux-Arts, Lille.

82-83 « Vue de l'esplanade ou grande place du port neuf et de l'enceinte des Arabes », in *Description de l'Égypte*, série E. M., 1809.

83h Henri Mulard, *Épisode de l'expédition d'Égypte : le général Bonaparte fait présent d'un sabre au chef militaire Mohamed el-Koraïm* (détail), Salon de 1808, huile sur toile. Châteaux de Versailles et de Trianon.

84h *Les Savants de la commission d'Égypte*, dessin préparatoire à la *Description de l'Égypte*. BnF.

84b Inscription figurant sur le gouvernail du bateau le *Dauphin Royal*, vestiges conservés au fort Qaitbay.

85 Philippe Jacques de Loutherbourg, *Bataille d'Alexandrie, 21 mars 1801* (détail), 1802, huile sur toile. Scottish National Portrait Gallery, Édimbourg.

86 Nicolas-Jacques Conté, *Vue du fort d'Alexandrie* (détail), 1798-1801, aquarelle. Coll. part.

87 André Dutertre, *Le Marin d'Alexandrie*, 1798-1801, aquarelle. BnF.

88 *Mohamed Ali recevant une ambassade dans son palais à Alexandrie, le 12 mai 1839*, lithographie d'après David Roberts, in *Egypt and Nubia*. Stapelton Coll.

89h *Le Harem de Mohamed Ali, Alexandrie*, gravure à l'aquatinte par Weber d'après un daguerréotype réalisé par Horace Vernet le 7 novembre 1839, in N. P. Lerebours, *Excursions daguerriennes*, vol.1, 1841.

89b Pascal Coste, *Plan de l'écluse de tête du canal Mahmoudiya*, 1820. BM Saint-Charles, Marseille.

90h John Varley Jr., *Sur le canal de la Mahmoudiya, Alexandrie*, 1880, huile sur toile. Coll. part.

90-91 Pascal Coste, *Vue de la côte d'Alexandrie du côté du Port-Vieux*, 1819, dessin à la plume. BM Saint-Charles, Marseille.

91h Hammerschmidt, « Égypte – Vue du port d'Alexandrie », v. 1870, épreuve sur papier albuminé montée sur carton. Coll. Auteur.

92h « Célébration de la fête du 15 août à Alexandrie (Égypte) : Cortège de la Colonie française passant devant l'Hôtel Abbat pour se rendre à l'église latine », in *L'Illustration*, n° 1232, 6 octobre 1866.

92b et 93b Immeubles de l'architecte Loria sur la corniche.

93h Place des Consuls, Alexandrie, gravure allemande, XIXe s. Coll. Auteur.

94 « Alexandrie – Le caracol anglais d'Attarine et rue Rosette », carte postale, années 1910. Coll. Auteur.

95h « Alexandrie – Place des Consuls », carte postale (détail), années 1910. Coll. Auteur.

95b « Alexandrie – Rue Cherif Pacha », carte postale, années 1910. Coll. Auteur.

96hg Publicité pour les pneus Dunlop extraite de l'*Annuaire et guide touristique du Royal Automobile Club d'Égypte*, 1934-1935. Coll. part.

96hd, 96b, 97h, 97b Le studio photographique Dorès, la fabrique de cigarettes Coutarelli Frères, les magasins Sednaoui & Co., le joaillier Zivy Frères & Co., le couturier Gh. Papazian, publicités extraites de la revue *Alexandrie, reine de la Méditerranée*, juillet 1928, n° 1. Coll. part.

96-97m Lettres commerciales postées d'Alexandrie les 14 décembre 1920, 29 juin 1925, 24 mai 1873. Coll. Auteur.

98hg Intérieur de l'école grecque de jeunes filles, « Averoffeio ».

98b Salle de bains de l'ancienne demeure d'une princesse royale. Musée des Bijoux, Alexandrie.

98hd et 99 Trois vues intérieures de la villa Cordahi, quartier de Ruschdy.

100h « Alexandrie – La Bourse », carte postale, années 1910. Coll. Auteur.

100b École Menasce, Alexandrie, vers 1905. Coll. Gholam-Milhem.

101 « Alexandrie – Rue Midan (quartier arabe) », carte postale, années 1910. Coll. Auteur.

102h « Le Consulat anglais (ruines) », photographie de Luigi Fiorillo, 1882. Coll. Mohamed Awad.

102b « La rue de la Poste italienne (ruines) », *idem*.

103g Façade principale du fort Qaitbay, après 1882. Coll. Auteur.

103d Exécution pendant les révoltes de 1881 à Alexandrie, photographie de Fiorillo (?), tirage à l'albumine monté sur carton, publié par Alain Fleig, *Rêves de papier, la photographie orientaliste, 1860-1914*, Ides et Calendes, 1997. Coll. Alain Fleig.

104h Façade du Musée gréco-romain, carte postale, années 1910. Coll. Auteur.

104b Extraits d'une lettre manuscrite de Heinrich Schliemann du 4 janvier 1889 adressée au comte papal Max de Zogheb. MGRA

105 Giuseppe Botti dans la cour à péristyle ionique d'une grande tombe, quartier de Karmouz, Alexandrie, fin XIXe s. MGRA

106g Différents titres de la presse alexandrine, page extraite de *La Réforme, 1895/1945*. Coll. part.

106d Page de titre du

INDEX

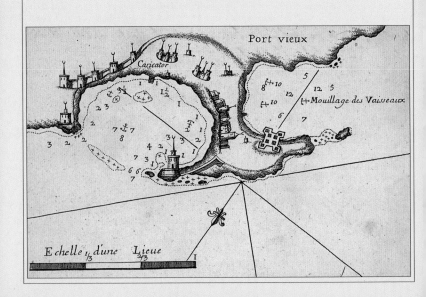

CRÉDITS PHOTOGRAPHIQUES

REMERCIEMENTS

L'auteur tient à remercier Claudio Gallazzi pour les papyrus pp. 40 et 41, Louis Adem pour les documents sur Alexandrie cosmopolite, Mohamed Awad pour les clichés du bombardement de 1882 et surtout pour le portrait inédit de Lawrence Durrell par Cléa Badaro, Lucien Basch pour son texte sur les cimetières latins. Les chiffres et statistiques du chapitre 4 sont empruntés au livre de référence de Robert Ilbert.

L'éditeur s'associe à ces remerciements et tient également à marquer sa reconnaissance à Gamal Al-Ghitani, Michèle Auer, Loulou Bochaton, Jean-Luc Bovot, Jean-Pierre Corteggiani, Jeanne Delmar, Carlos Freire, Bärbel Kramer, Jean Laloum, Yves Lebrec, Craig Mauzy, Bertrand Mirande-Iriberry, Marie-Dominique Nenna, Kostas Nikolantonakis.

ÉDITION ET FABRICATION

DÉCOUVERTES GALLIMARD
COLLECTION CONÇUE PAR Pierre Marchand
DIRECTION Élisabeth de Farcy
COORDINATION ÉDITORIALE Anne Lemaire
GRAPHISME Alain Gouessant
PROMOTION & PRESSE Béatrice Foti et Pierre Gestède
SUIVI DE PRODUCTION Fabienne Brifault-Dandé
SUIVI DE PARTENARIAT, Madeleine Gonçalves

ALEXANDRIE, HIER ET AUJOURD'HUI
ÉDITION Laurent Lempereur
MAQUETTE ET MONTAGE Albéric Proffit et Vincent Lever
ICONOGRAPHIE Clémence Grillon
LECTURE-CORRECTION Pierre Granet et Catherine Lévine
PHOTOGRAVURE Turquoise

Jean-Yves Empereur, agrégé de lettres classiques et docteur en archéologie, a été membre puis secrétaire général de l'École française d'Athènes. En douze ans, il a pu étudier les inscriptions de Delphes, fouiller à Argos, Délos et Thasos, où il a ouvert la fouille sous-marine du port antique. Il a dirigé la fouille du port d'Amathonte de Chypre ainsi que celle d'un ancien village de potiers à Cnide en Turquie. En 1990, il a fondé le Centre d'études alexandrines (UMS1812 du CNRS). Depuis 1992, une douzaine de fouilles ont ainsi été menées, les plus récentes étant celles du phare, des épaves au large de Qaitbay, et de la Nécropolis.

*À la mémoire
de Pierre Bruno, plongeur et ami.*

*Dépôt légal : octobre 2001
Numéro d'édition : 02476
ISBN : 2-07-076240-8
Imprimerie Kapp à Evreux*